Oito Conversas

PARA UMA VIDA INTEIRA
DE AMOR

**JOHN GOTTMAN
JULIE SCHWARTZ GOTTMAN**
DOUG ABRAMS & RACHEL CARLTON ABRAMS

Oito Conversas

PARA UMA VIDA INTEIRA DE AMOR

SEXTANTE

Título original: *Eight Dates*

Copyright © 2018 por John Gottman, Julie Schwartz Gottman,
Doug Abrams e Rachel Carlton Abrams
Copyright da tradução © 2023 por GMT Editores Ltda.

Publicado mediante acordo com Workman Publishing Co., Inc., Nova York.

Todos os direitos reservados. Nenhuma parte deste livro pode ser utilizada ou reproduzida sob quaisquer meios existentes sem autorização por escrito dos editores.

tradução: Livia de Almeida
preparo de originais: Priscila Cerqueira
revisão: Hermínia Totti e Sheila Louzada
diagramação: Valéria Teixeira
capa: Rae Ann Spitzenberger
adaptação de capa: Angelo Bottino
imagens de capa: Shutterstock
impressão e acabamento: Cromosete Gráfica e Editora Ltda.

CIP-BRASIL. CATALOGAÇÃO NA PUBLICAÇÃO
SINDICATO NACIONAL DOS EDITORES DE LIVROS, RJ

O35

Oito conversas para uma vida inteira de amor / John Gottman ... [et al.] ; tradução Livia de Almeida. - 1. ed. - Rio de Janeiro : Sextante, 2023.
240 p. ; 21 cm.

Tradução de: Eight dates
ISBN 978-65-5564-625-2

1. Casamento. 2. Relacionamentos. 3. Comunicação interpessoal. I. Gottman, John. II. Almeida, Livia de.

23-82985

CDD: 646.782
CDU: 316.812.1-055.1-055.2

Meri Gleice Rodrigues de Souza - Bibliotecária - CRB-7/6439

Todos os direitos reservados, no Brasil, por
GMT Editores Ltda.
Rua Voluntários da Pátria, 45 – Gr. 1.404 – Botafogo
22270-000 – Rio de Janeiro – RJ
Tel.: (21) 2538-4100 – Fax: (21) 2286-9244
E-mail: atendimento@sextante.com.br
www.sextante.com.br

Para todos aqueles que se empenham
em criar um mundo mais amoroso
por meio de seu relacionamento.

Sumário

Conversas que importam — 11
Encontro a dois — 28
Quatro habilidades para uma conversa íntima — 36
A arte da escuta — 42

ENCONTRO »1«
Conta comigo
CONFIANÇA E COMPROMISSO — 47

ENCONTRO »2«
Concordar em discordar
COMO LIDAR COM CONFLITOS — 77

ENCONTRO »3«
Deixa rolar...
SEXO E INTIMIDADE — 99

ENCONTRO »4«
O preço do amor
TRABALHO E DINHEIRO — 121

ENCONTRO ›»5«‹
Espaço para crescer
FAMÍLIA   149

ENCONTRO ›»6«‹
Vamos brincar
DIVERSÃO E AVENTURA   163

ENCONTRO ›»7«‹
Andar com fé
CRESCIMENTO E ESPIRITUALIDADE   189

ENCONTRO ›»8«‹
Uma vida inteira de amor
SONHOS   205

Conclusão: Apreciação mútua   221

Apêndice: Mais perguntas abertas   227

Exercício extra para o encontro a dois   231

Agradecimentos   234

Notas   238

Bem-vindo a uma noite especial

Conversas que importam

Toda grande história de amor envolve conversas importantes. Desde as primeiras perguntas vacilantes feitas enquanto ainda estamos nos conhecendo, passando pelas discussões tensas sobre confiança e compromisso, até chegar às mais profundas explorações do nosso amor, da nossa dor e dos nossos sonhos, é a qualidade dessas perguntas e respostas que nos permite aprender e crescer ao lado do nosso par ao longo dos anos. E, quando estamos diante do conflito – inevitável quando duas vidas se entrelaçam –, é o compromisso com a curiosidade que nos faz permanecer juntos. Não importa se você e seu par são falantes ou calados, pois o relacionamento será determinado também pelas atitudes, não apenas pelas palavras. Uma verdadeira história de amor não é um conto de fadas. Demanda esforço e vulnerabilidade. A recompensa é chegar às bodas de ouro amando um ao outro mais do que na noite de núpcias. O amor pode, sim, durar para sempre.

Talvez pareça que o sucesso ou o fracasso de um casamento ou de um relacionamento duradouro é tão imprevisível quanto um jogo de cara ou coroa. Nos Estados Unidos, estima-se que mais da metade de todos os matrimônios termine em divórcio. Em Portugal, o percentual vai a 70%. No caso de segundo casamento nos Estados Unidos, a taxa de divórcio sobe para 65%, chegando a 75% no terceiro casamento. São números ruins. E estamos falando apenas de quem coloca um ponto final oficial na relação. Porque há ainda aqueles casais que permanecem juntos num estado silencioso de frustração, descontentamento e tédio. Mas antes que você se desespere, saiba que até para esses casos há esperança.

Embora nossas expectativas nos relacionamentos estejam mais altas do que nunca – e os desafios nunca tenham sido tão grandes –, o amor não é um jogo de cara ou coroa. Não se trata de acaso. É uma questão de escolha.

Hoje sabemos o que os casais podem fazer para melhorar suas chances de felicidade. Há quarenta anos, o Gottman Love Lab estuda como vencer no amor. No nosso laboratório em Seattle, estudamos milhares de casais a partir de observação, autorrelato e exames fisiológicos e analisamos esses dados com métodos matemáticos avançados. Com isso, passamos a conhecer as áreas mais problemáticas da vida a dois. Podemos afirmar com segurança o que diferencia os "casais mestres" dos "casais desastres". E podemos guiar você por oito conversas essenciais que favorecem o *felizes para sempre*.

Relacionamentos longos e felizes são criados com palavras simples e pequenos gestos. Uma vida inteira de amor se cria a cada dia de convívio. Você não pode achar que conhece tudo sobre o seu par no minuto em que o caminhão de mudança vai embora e vocês passam a dividir as gavetas da cômoda ou quando diz o "sim" na frente das testemunhas. É um processo que nunca acaba. É possível passar a vida toda tentando conhecer o mundo interior de sua cara-metade (e tendo a coragem de compartilhar seu próprio mundo interior) sem nunca descobrir tudo o que há para saber sobre o outro. É emocionante. É assustador. E é uma das maiores aventuras da vida. Confie no que dizemos – nós sabemos. Estamos casados há muito tempo. John e Julie estão juntos há mais de 30 anos; Doug e Rachel, mais de 25; e ainda estamos descobrindo coisas novas um sobre o outro. Ainda nos surpreendemos e nos sentimos mais apaixonados do que nunca. Isso não significa que nossa vida seja perfeita. Às vezes brigamos. Às vezes somos rudes ou insensíveis. O preço do amor não é a perfeição – é a prática. Escolhemos o modo como exprimimos o amor e como o acolhemos. O amor é um ato, mais do que um sentimento. Ele exige intenção e atenção, o que chamamos de *sintonização*.

**Reserve um tempo para se dedicar ao seu par.
Faça disso uma prioridade, um compromisso inegociável,
e nunca deixe de demonstrar interesse.**

E o grande segredo para construir um amor que dura e aumenta com o passar dos anos é simples. Reserve um tempo para se dedicar ao seu par. Faça disso uma prioridade, um compromisso inegociável, e nunca deixe de demonstrar interesse. Não pense que você conhece alguém hoje só porque vocês dividiram a cama ontem. Em suma, nunca deixe de fazer perguntas. Mas faça as perguntas certas.

Não estamos falando de perguntas que se respondem com um simples "sim" ou "não". Estamos falando de perguntas abertas. Elas são um convite para respostas elaboradas. São um ponto de partida para conversas íntimas que permitem ao outro expressar o que realmente está pensando e sentindo. Com essas conversas, você vai compreender quem de fato é seu parceiro, por que essa pessoa tem determinadas crenças e por que age de determinada forma. As perguntas abertas farão você se apaixonar, ou ajudarão você a assumir um compromisso de longo prazo, ou, ainda, conservarão seu amor pela pessoa com quem você escolheu dividir a vida. Este livro vai mostrar como ter conversas que propiciam mais intimidade, mais conhecimento e uma compreensão mútua mais profunda e significativa.

Organizamos essas conversas nos oito temas mais importantes da vida a dois: confiança e compromisso; conflito; sexo e intimidade; trabalho e dinheiro; família; diversão e aventura; crescimento e espiritualidade; e sonhos. Estruturamos esses temas em oito encontros e fornecemos roteiros, exercícios passo a passo e exemplos de perguntas abertas para serem feitas em cada uma dessas ocasiões.

Esses encontros servem de modelo e queremos que vocês os desfrutem, é claro, mas também esperamos que eles nunca deixem de fazer parte do seu relacionamento. Queremos que você chegue aos 95 anos e ainda marque encontros românticos, nem que seja no sofá da sala. E que você nunca deixe de explorar seu parceiro e seu relacionamento, suas crenças e seus medos, suas esperanças e seus planos para o futuro.

Queremos que vocês nunca parem de conversar, de aprender e de crescer juntos.

Décadas de pesquisa demonstram que os relacionamentos felizes são construídos com respeito, empatia e uma profunda compreensão mútua. Relacionamentos não duram sem conversa, mesmo para quem é do tipo durão e calado. Este livro vai ajudar você a criar sua própria história de amor. Para isso, fornece um planejamento para as oito conversas que você e seu par devem ter antes ou depois de se comprometerem. Na verdade, o ideal é repetir esses encontros ao longo dos anos, sempre que for o momento de renovar esse compromisso – seja com a chegada de um filho, com a perda de um emprego, com um problema de saúde ou quando o relacionamento começa a esfriar. Porque uma coisa é certa: *felizes para sempre* não significa ausência de desafios e dificuldades. Não é possível estar num relacionamento e não ter conflitos – não se você estiver fazendo do jeito certo. A vida sempre apresenta pressões, tensões e crises, e a forma como se gerencia tudo isso pode ser determinante para o futuro da relação (vamos explorar esse tema com mais profundidade no capítulo sobre conflito). Felizes para sempre significa simplesmente conhecer, valorizar e aceitar a outra pessoa como ela é. A meta de todo relacionamento é ser capaz de amar quem está ao nosso lado cada vez mais ao longo de toda a nossa vida juntos.

NUNCA É CEDO OU TARDE DEMAIS

Escrevemos este livro porque pouquíssimos casais recebem orientação sobre como criar uma vida a dois amorosa e duradoura. Nós, os autores, nos conhecemos num grupo de discussão sobre educação em relacionamentos – uma associação de especialistas nas áreas de ciência, psicologia e sexualidade. A princípio pensamos em escrever um livro voltado para casais em seus primeiros passos rumo a um compromisso. No entanto, quando procuramos voluntários – casais dispostos a testar os oito encontros –, nos surpreendemos ao constatar que pessoas em todas as etapas da vida a dois queriam participar do experimento. Casais em processo de decidir se deveriam ou não se casar; casais que moravam juntos havia pouco tempo; casais que tinham acabado de noivar; casais que já estavam juntos havia muitos anos e queriam aprofundar o relacionamento ou renovar uma relação que havia perdido um pouco do brilho – todos adoraram os encontros. A vida cobra seu preço quando carreiras, filhos e crises nos afastam um do outro. A ideia por trás desses oito encontros e o compromisso com a escuta profunda nos ajudam a nos reaproximar.

Se o seu relacionamento é recente e você está se perguntando se encontrou "a pessoa certa", recomendamos que reserve um tempo agora para falar sobre assuntos que determinarão sua felicidade (ou infelicidade) no futuro. Se essas conversas revelarem que vocês não têm nada a ver um com o outro, isso pode poupá-los de anos de sofrimento. Por outro lado, esses encontros também podem ajudar você a compreender as diferenças entre o casal e a evitar, à frente, conflitos sobre "problemas perpétuos" e incompatibilidades imutáveis. E, se já estiver numa relação de longo prazo, esses encontros ajudarão você a conduzir conversas que estreitarão laços e reduzirão conflitos. Pode ser que isso os leve de volta àqueles velhos tempos em que vocês ficavam acordados a noite inteira conversando, ansiosos por descobrir mais um sobre o outro.

A meta de todo relacionamento é ser capaz de amar quem está ao nosso lado cada vez mais ao longo de toda a nossa vida juntos.

Quando se trata de atração romântica, um estudo recente revelou que não há parâmetro que possa prever se dois indivíduos vão *gostar* um do outro. Esse estudo, conduzido pela psicóloga Samantha Joel, da Universidade de Utah, avaliou cem variáveis como autoestima, metas, valores, solidão, expectativas e muito mais. E nada foi capaz de predizer como os participantes se sentiriam depois de um breve encontro.

Essa informação não é nova. A maioria dos algoritmos criados para combinar pessoas é inútil. Por quê? Bem, uma boa explicação é oferecida pelo clássico estudo alemão de Claus Wedekind, conhecido como o "estudo da camiseta suada". Nesse experimento, as mulheres sentiam o cheiro de várias camisetas usadas por homens durante dois dias e escolhiam aquelas que achavam que cheiravam melhor. Wedekind descobriu que elas preferiam a camiseta de homens que eram geneticamente mais diferentes delas no complexo principal de histocompatibilidade do sistema imunológico. Definitivamente não estamos procurando um clone. Na verdade, somos atraídos por muitos tipos de pessoas bem distintas de nós mesmos. Num estudo conduzido pela Universidade do Novo México em 2006, com 48 casais, as mulheres nas duplas geneticamente mais diversas relataram maior grau de satisfação sexual na relação. Já aquelas com genes semelhantes aos do parceiro apresentavam mais fantasias envolvendo outros homens e eram também mais propensas a trair. O que acontece é que todos aqueles algoritmos dos sites de namoro não funcionam melhor do que juntar dois desconhecidos de modo aleatório.

Mas descobrimos que, quando duas pessoas *interagem*, é possível prever, pela maneira como agem uma com a outra, se o relacionamento entre elas está destinado a dar certo ou a ser uma fonte de sofrimento contínuo. Assim, oferecemos aqui um conjunto de conversas importantes para você ter com um possível parceiro e, com base em seus sentimentos sobre o que foi falado nos oito encontros que sugerimos, estimar se esse relacionamento será satisfatório ou não. Caso você já esteja comprometido com essa pessoa, poderá descobrir o que os dois precisam fazer para que o amor perdure.

Como de costume, começamos com dados. Casais se voluntariaram para ter esses encontros, concordaram em registrar suas conversas mais íntimas e nos enviaram as gravações. Alteramos os detalhes que pudessem identificá-los e mantivemos o anonimato dos casais cujas histórias e palavras compartilhamos neste livro. São conversas corajosas, francas e vulneráveis, e somos gratos àqueles que concordaram em dividi-las conosco. Os participantes tinham idades que variavam de 21 a 67 anos. Dentre os casais, 25% ainda estavam se conhecendo, 11% mantinham um relacionamento sério mas não planejavam se casar, 32% estavam noivos ou planejando casamento e 32% eram casados. Coletamos centenas de horas de gravações de casais homo e heterossexuais durante seus encontros e conversamos com muitos deles em sessões de acompanhamento por videoconferência.

Todos nós queremos ter um relacionamento saudável e feliz, íntimo e apaixonado, que nos permita crescer como indivíduos, como casal e, para muitos, como família. Queremos parceria e colaboração – queremos saber que a outra pessoa estará ao nosso lado para tudo o que a vida trouxer, seja bom ou ruim. Nunca é cedo ou tarde demais para ter essas conversas. Elas aprofundarão a compreensão que vocês têm um do outro e das histórias e bagagens que trazem para a vida em comum.

Algumas conversas podem ser difíceis. Permanecer apaixonado exige um nível de vulnerabilidade que nem sempre é confortável. Algumas pessoas têm dificuldade em falar sobre sexo e intimidade. Outras pelejam para tratar de crescimento e espiritualidade. Algumas acham difícil falar sobre dinheiro. Talvez você se preocupe com coisas como: as conversas levarão a uma briga? E se um não entender o ponto de vista do outro? E se tiverem dúvidas sobre suas diferenças? Tudo isso é normal. Vamos ensinar você a fazer perguntas abertas e a ouvir de verdade as respostas. Daremos orientações claras sobre como tornar as conversas criativas, e não combativas.

Para casais que estão juntos há pouco tempo, queremos enfatizar que conflitos acontecem com todo mundo, mas, se você evitar que eles aconteçam agora, pode ter certeza de que haverá muito mais problemas depois. A fase inicial da relação, além de envolver diversão e paixão, também é o momento em que se estabelecem a confiança e os planos para um futuro compartilhado. É inevitável que surjam obstáculos quando se unem duas vidas diferentes, duas infâncias diferentes, duas histórias familiares diferentes. Ouça e aprenda, compartilhe e acolha. Se vocês mantiverem o coração e a mente abertos, seus encontros serão bem melhores, assim como a vida em comum. Como temos muitos anos de casados, nós, autores, sabemos como é enfrentar questões delicadas, não conseguir entender um ao outro e chegar a questionar o casamento. Tudo isso é natural. Ao conduzir essas conversas com coragem, você construirá um relacionamento forte e resiliente.

Aqui está a novidade: as diferenças são a regra. Afinal de contas, as diferenças enriquecem o vínculo caso sejam compreendidas e acolhidas. Quando tiver essas conversas, lembre-se de que a maioria dos casais tem mais diferenças do que semelhanças. E não há problema algum nisso. Relacionar-se não é uma questão de encontrar a pessoa idealizada, a cara-metade, o *alter ego*. Nosso par não precisa pensar como nós o tempo todo. É isso que torna a vida interessante – seria tedioso se casar consigo mesmo. Na verdade, isso se chama ser solteiro.

É claro que muitos casais compartilham diversos valores fundamentais, mas é inevitável existirem áreas em que há diferenças. Essas diferenças nos atraem a princípio, no entanto podemos arranjar problemas quando tentamos mudá-las mais tarde. Aprender a compreender e a aceitar as diferenças é fundamental para criar um vínculo duradouro e um amor inabalável.

Uma das grandes dádivas de um relacionamento – e há muitas outras – é a capacidade de enxergar o mundo pelos olhos de outra pessoa, com intimidade, profundidade, de um modo que não pode ser reproduzido com quase nenhum outro ser humano. Se você olhar para seu parceiro com curiosidade, seu relacionamento e sua vida serão enormemente enriquecidos.

A CIÊNCIA DO AMOR

Há cerca de 45 anos, John e seu colega Robert Levenson criaram um pequeno laboratório na Universidade de Indiana (e, mais tarde, na Universidade de Illinois, na Universidade de Washington, na Universidade da Califórnia em Berkeley e, atualmente, no Gottman Institute, no centro de Seattle). Na Universidade de Washington, o laboratório de John parecia um pequeno apartamento conjugado. Na verdade, era um centro de pesquisa inovador dedicado a descobrir a verdade sobre o casamento e o divórcio. John queria saber as respostas para as seguintes perguntas fundamentais: podemos prever quem vai se divorciar e quem vai continuar num casamento feliz ou infeliz? E o que faz com que os relacionamentos funcionem bem?

Num dos principais estudos conduzidos pelo laboratório, 130 duplas de recém-casados passaram pelo apartamento, apelidado de "The Love Lab" ("O Laboratório do Amor"), para que pudessem ser estudadas 24 horas por dia fazendo exatamente o mesmo que fariam em casa: comer, ver televisão, conversar, ouvir música, ler, fazer faxina e assim por diante. Era tudo perfeitamente normal, a não ser por três câmeras afixadas nas paredes para registrar todos os movimentos dos participantes e pelo monitor que fora concebido para acompanhar a frequência cardíaca de cada um. Além disso, toda vez que alguém ia ao banheiro, uma amostra era coletada para verificar a quantidade de hormônios do estresse presente na urina. John e sua equipe de pesquisadores estudaram a linguagem corporal dos casais, monitoraram seus sinais vitais e codificaram cada expressão facial (presentes em até um centésimo de segundo). Na manhã seguinte a uma noite no Love Lab, a equipe tirava sangue do casal para verificar seu funcionamento hormonal e imunológico.

> Era tudo perfeitamente normal, a não ser por três câmeras afixadas nas paredes do apartamento para registrar todos os movimentos dos participantes.

Outra parte importante dessa pesquisa era pedir aos casais que contassem os antecedentes do relacionamento em uma entrevista com duas horas de duração. John perguntava como haviam se conhecido e quais tinham sido as primeiras impressões. Em seguida, indagava o que eles lembravam sobre o namoro, sobre como se aproximaram e o que o casal gostava de fazer junto no início da relação. Ele pedia que refletissem sobre as mudanças ocorridas no decorrer do tempo. Os momentos difíceis pelos quais passaram também eram abordados. As perguntas eram mais ou menos assim:

Quando vocês olham para trás e avaliam o passar dos anos, que momentos se destacam como os mais difíceis no relacionamento?

O que ajudou vocês a ficarem juntos?

Como atravessaram esses momentos difíceis?

Quais são as estratégias que vocês usam para superar os conflitos?

Em seguida, John pedia ao casal que explicasse as diferenças entre o relacionamento atual e o que tinham no início, e fazia outras perguntas sobre como decidiram ficar juntos.

O que levou vocês a decidirem que, entre todas as pessoas do mundo, era com essa que queriam se casar (ou se comprometer)?

Foi uma decisão fácil ou difícil?

Como foi se apaixonar?

Ele também fazia perguntas sobre a cerimônia de casamento ou noivado, a lua de mel, o primeiro ano morando juntos, os melhores momentos e como se divertiam. John e seus colegas também exploravam as crenças do casal, pedindo que os participantes pensassem num casal conhecido que tinha um bom relacionamento e em outro cujo relacionamento não era tão bom, e então explicassem o que havia de diferente entre os dois.

Como vocês comparariam o seu relacionamento com o desses casais?

Como o relacionamento de seus pais e sogros se assemelha ou difere do de vocês?

John, em seguida, perguntava sobre a história do relacionamento – os momentos decisivos, os altos e baixos. Por fim, perguntava quanto eles sabiam atualmente sobre as principais preocupações, tensões, esperanças, sonhos e aspirações um do outro.

Como vocês mantêm o contato no dia a dia?

Como vocês fazem para se manter emocionalmente conectados?

Ao longo da entrevista, os pesquisadores monitoravam o tom de voz de cada um, suas palavras, seus gestos e suas emoções positivas e negativas. John também pedia que o casal conversasse sobre um conflito atual do relacionamento, enquanto ele apenas observava.

Foi uma pesquisa meticulosa, metódica e abrangente. O resultado foi a capacidade de determinar com 94% de precisão quem permaneceria casado e quem acabaria se divorciando. (Depois que esses resultados foram publicados, John e Julie passaram a receber bem menos convites para jantar.) Entre aqueles que permaneceram casados, John também era capaz de prever os casamentos que seriam felizes e os infelizes. John e Robert acompanharam esses e centenas de outros casais do Love Lab por décadas e, no final, observaram, registraram e aprenderam com mais de 3 mil relacionamentos.

POSITIVO OU NEGATIVO

Depois de uma década analisando os dados do Love Lab, John descobriu que um conjunto específico de variáveis determinava se um casamento seria bem-sucedido ou fracassado: os casais estavam sendo positivos ou negativos durante a entrevista? Não havia muito espaço para ambiguidade. Ou eles enfatizavam seus bons momentos juntos e minimizavam os maus, ou enfatizavam os maus e minimizavam os bons. Ou eles enfatizavam os traços positivos de seu par e minimizavam os mais irritantes, ou enfatizavam os traços negativos e minimizavam os mais positivos.

O que aprendemos é que os casais com mais probabilidade de ter um casamento feliz demonstram as seguintes qualidades e características quando falam sobre seu relacionamento:

ESTIMA, CARINHO, ADMIRAÇÃO: De forma verbal ou não verbal, o casal expressa afeto (calor, humor, afeição) e enfatiza os bons momentos. Os parceiros se elogiam mutuamente.

NÓS X EU: O casal demonstra capacidade de se comunicar bem, proximidade e união. Frequentemente usam palavras como "nós", "nos" ou "nosso" em vez de "eu", "mim", "meu". Os parceiros não se descrevem em separado.

EXPANSIVIDADE X RECOLHIMENTO: O casal descreve as lembranças do passado em comum de forma vívida e distinta, e não vagamente ou com dificuldade de se recordar. Os parceiros são positivos e enérgicos ao falar sobre a relação e não demonstram falta de ânimo ou de entusiasmo em relembrar acontecimentos. Dão informações íntimas sobre si mesmos, em vez de permanecerem impessoais e cautelosos.

GLORIFICAÇÃO DA LUTA: No relacionamento, os parceiros constroem juntos uma vida plena, cheia de valores, propósito e significado. Ao "glorificar a luta", o casal expressa orgulho por ter superado tempos difíceis, em vez de expressar desesperança. Cada um enfatiza seu compromisso em vez de questionar se realmente deveria estar com aquela pessoa. Ambas as partes demonstram orgulho pelo relacionamento, em vez de ter vergonha dele. Falam sobre seus valores compartilhados, objetivos e filosofia de vida. De modo intencional, criam um senso de significado e propósito, incluindo a maneira como atravessam juntos os anos. E estabelecem tradições deliberadas para se conectar emocionalmente. Chamamos isso de "rituais de conexão". Os encontros a dois são um exemplo de rituais de conexão.

Se um casal começa expressando negatividade mútua na entrevista, seja com palavras, expressões faciais ou linguagem corporal (cinismo, sarcasmo, revirar de olhos), isso sinaliza que o botão da negatividade foi acionado, o que leva à previsão de que é quase certo que o relacionamento se desgastará com o tempo. Se o casal expressa decepção, sentimentos de desilusão, como se o casamento não fosse o que eles pensavam que seria, ou se ambos estão deprimidos, sem esperança e amargurados, o divórcio é provável. Lembre-se: eventos negativos ou que causam arrependimento são inevitáveis. O botão da positividade significa que os casais *interpretam* de forma positiva os eventos negativos e o caráter um do outro e que, em sua mente, eles *maximizam* o positivo e *minimizam* o negativo todos os dias (em relação ao parceiro e à convivência).

O que queremos dizer é que essa negatividade geral corroerá rapidamente a relação. E todo casamento e relacionamento feliz tem, em sua base, uma amizade profunda e próxima – pessoas que realmente se conhecem e que estão do mesmo lado, como parte da mesma equipe. É por isso que as conversas que propomos neste livro importam. As palavras escolhidas importam. O tom de voz importa. Até mesmo as expressões faciais importam.

Claro que todo mundo comete erros de vez em quando. Às vezes nos comunicamos mal e, quando isso ocorre, precisamos nos corrigir. Achar que não vai haver nenhum ruído de comunicação na vida a dois é como achar que vai fazer um gol a cada chute na bola. Relacionamentos felizes não são aqueles sem brigas. São aqueles em que há pedidos de desculpas depois de um desentendimento – aqueles em que há conexão diária entre o casal. Casais felizes não são muito diferentes de casais infelizes; eles apenas são capazes de se acertar com mais facilidade e rapidez para recuperar a alegria de estar juntos.

Todo mundo comete erros de vez em quando. Às vezes nos comunicamos mal e, quando isso ocorre, precisamos nos corrigir.

No fim das contas, grande parte do sucesso ou do fracasso do relacionamento depende das conversas que vocês têm um com o outro. Analisamos o comportamento de mais de trezentos casais para os encontros descritos neste livro. Eles fizeram os exercícios, gravaram as conversas e compartilharam suas histórias. Casais recentes, casais celibatários, casais do mesmo sexo e casais de longa data descobriram que essas conversas os aproximavam e os ajudavam a se enxergar de maneiras novas e emocionantes. Eles se tornaram mais íntimos e voltaram a se apaixonar.

Você pode conseguir isso também.

O PANORAMA GERAL

A qualidade de nossos relacionamentos mais próximos, mais do que qualquer outro fator, determina nossa saúde física, nossa resistência a doenças e nossa longevidade. Relacionamentos íntimos e satisfatórios também melhoram a saúde mental de cada parceiro de diversas maneiras. Casamentos ou namoros felizes podem reduzir significativamente a depressão, a ansiedade crônica, os vícios e o comportamento antissocial, além de diminuir a incidência de suicídio. Estudos mostram que relacionamentos infelizes podem prejudicar o bem-estar cognitivo e emocional dos filhos, enquanto uniões felizes podem fortalecer o desempenho escolar, a interação com os colegas e a inteligência emocional. Ou seja, seu relacionamento é importante para vocês, para a vida de seus filhos e para a sua comunidade.

John e Julie conduziram pesquisas científicas e clínicas e praticaram terapia de casal por décadas. Fizeram também ensaios clínicos randomizados que mostram que os padrões de interação conjugal que observaram não se limitam a acompanhar os desdobramentos posteriores da relação. Eles os causam. John e Julie continuam a pesquisa até hoje.

Rachel é uma médica que aconselha casais em seu consultório e vê em primeira mão o impacto direto que um relacionamento bom ou ruim tem sobre a saúde das pessoas. Doug teve o privilégio de trabalhar em vários livros com autores visionários sobre sexualidade, incluindo diversos com Rachel. Juntos, somos colegas, amigos e quatro pessoas profundamente comprometidas com a ideia de criar um amor que dure a vida inteira. Queremos isso em nossa vida e na sua.

Por si só, fazer uma relação durar pode ser considerado um grande feito. Mas existem incontáveis histórias de casais que se digladiaram e foram infelizes durante décadas. Então perguntamos: como fazer da sua união uma verdadeira fonte de alegria, crescimento e amor ao longo dos anos? Juntos, nós quatro somamos quase meio século de conhecimento pessoal e profissional, assim como uma sabedoria arduamente conquistada sobre as conversas que você deve ter para construir uma vida inteira de amor.

Comprometer-se com um relacionamento é um trabalho importante. Todos nós queremos amar e ser amados. Todos nós queremos crescer. Experimentar tudo o que nossas relações têm a oferecer significa sair da zona de conforto. Se você estiver disposto a ser honesto sobre quem você realmente é e manter a mente aberta sobre quem é o seu par, esses vínculos se fortalecerão. A compreensão mútua será mais profunda. E a vida em comum será mais feliz.

Encontro a dois

Sabemos que são as coisas pequenas e positivas, repetidas com frequência, que fazem a verdadeira diferença nos relacionamentos. Demonstrações regulares de apreço e afeto ao seu par, as conversas no fim do dia, um beijo de despedida ou nos reencontros – tudo isso faz parte de uma ligação feliz e saudável. O vínculo é construído a partir desses momentos pequenos e simples de cada dia. Você deve acolhê--los. Mas estamos pedindo também que reserve tempo uma vez por semana para uma noite de encontro a dois (também pode ser uma tarde ou manhã, se preferir ou for mais conveniente para vocês).

Este livro guiará você por oito encontros diferentes que fortalecerão seu relacionamento, mas esses momentos a dois devem ser parte permanente de uma vida inteira de amor e vínculo. A meta é ter um encontro especial uma vez por semana e transformar esse acontecimento numa prioridade.

Para muitos casais ocupados, especialmente depois da chegada dos filhos, os encontros a dois se tornam eventos aleatórios, uma aberração da natureza – que só ocorrem quando há alguém para cuidar das crianças nos raros momentos em que o casal tem uma pausa em sua infinita lista de afazeres. Essas noites de encontro, porém, não devem ser ocorrências bissextas, limitadas àqueles momentos em que há algum alinhamento mágico e perfeito do universo entre oportunidades, finanças e roupas a lavar. As noites de encontro são planejadas. São priorizadas. Em muitos relacionamentos e casamentos, a diversão, o espírito lúdico e a necessidade de se conectar com o outro se tornam os últimos itens da lista de tarefas. Essa é uma receita infalível para gerar insatisfação e distanciamento.

A verdade pura e simples é que são esses encontros que fazem os relacionamentos.

Muitas vezes, o encontro a dois se torna um evento aleatório, uma aberração da natureza.

FIZEMOS UM PACTO

Rachel e Doug mantêm encontros a dois desde que começaram a namorar, há 31 anos. O primeiro de todos aconteceu durante a semana das provas finais na faculdade. Os dois perceberam de cara que precisavam arranjar uma maneira de dar prioridade um ao outro, pois sabiam que aquele relacionamento seria transformador. Como explica Doug: "Fizemos um pacto imediatamente, um compromisso de nos vermos todas as noites à meia-noite, concluindo ou não os trabalhos. Eu tinha cinco ensaios de vinte páginas para escrever naquela semana e Rachel estava se preparando para as importantes provas finais de Medicina. Mas nós dois sempre encerrávamos os estudos antes de o relógio bater meia-noite. Eu nunca trabalhei mais rápido, nem melhor, nem com um sorriso mais largo no rosto."

E continua: "Ao priorizarmos estar juntos e darmos nossa

palavra um ao outro de que nosso relacionamento viria em primeiro lugar, tudo o que consumia muito tempo e que não daria brecha para o nosso encontro pareceu se contrair, abrindo uma janela para nós dois. Mesmo quando Rachel estava na residência médica trabalhando 110 horas por semana, mesmo quando tínhamos gêmeos recém-nascidos, mesmo quando eu trabalhava em dois empregos e levava cinco horas por dia para ir e voltar, nós ainda arranjávamos tempo para a noite de encontro. É muito improvável que tivéssemos chegado tão longe sem isso."

Rachel concorda: "Não estaríamos juntos se não fosse por nossos encontros. Eu sabia que queria ficar casada por muito tempo. Doug também. E de alguma forma sabíamos que o encontro era a chave. O pacto que fizemos na faculdade ainda é o nosso pacto de hoje. Prestamos atenção no relacionamento. Às vezes isso significa que o encontro a dois acontece à tarde ou pela manhã, mas é nosso momento especial, quando nos concentramos apenas um no outro. Não é fácil, mas sempre damos um jeito. Esses encontros salvaram nossa pele em muitas ocasiões."

Para os propósitos deste livro, um encontro é um momento planejado com antecedência em que vocês dois deixam de lado a vida profissional e o trabalho doméstico e passam um tempo focados um no outro, *conversando e se ouvindo* de verdade. Um encontro que vale a pena não acontece com os dois sentados no sofá vendo televisão juntos, indo ao cinema ou saindo com amigos para dançar. É um momento especial, reservado apenas para a conexão entre os dois. Pense nisso como um tempo sagrado. Deixe o celular em casa ou desligue-o e só verifique mensagens depois que o encontro acabar. E pense em cada um desses oito encontros como se fosse uma primeira vez. Planeje-os. Espere-os com ansiedade. Anime-se com eles. Você pode ir ao cinema ou encontrar os amigos também, mas o principal evento de uma noite a dois é simplesmente ficar juntos, se reconectar, se apaixonar e lembrar a si mesmos que há mais em seu relacionamento do que dividir um teto e os cuidados com os filhos. Vocês se lembram de que são, antes de tudo, amigos e amantes.

HORA DA CONVERSA PESSOAL

John e Julie trabalham juntos diariamente, mantendo com frequência conversas intensas, debates e uma estreita colaboração. Foi preciso esforço para que conseguissem evitar os assuntos de trabalho nos encontros a dois. "Para casais que trabalham juntos, pode ser especialmente complicado separar o que é um encontro e o que não é. E é tentador falar sobre assuntos profissionais quando saímos juntos", diz Julie. "Escrevemos juntos, elaboramos workshops juntos, discutimos juntos intervenções terapêuticas para casais. Cada um de nós compartilha apaixonadamente seu ponto de vista. Tivemos que fazer o esforço consciente de separar o profissional e o pessoal."

Um dos programas favoritos de John e Julie é ir a um café local. Os dois pedem sempre a mesma coisa. Os garçons os chamam pelo nome e sabem que vão pedir ovo *cocotte*, baguete e geleia – na verdade, uma porção dupla de geleia caseira. Para Julie, a baguete é um meio de transporte para a geleia. Durante esse ritual familiar, eles fizeram o acordo de não tratar de trabalho. John explica: "É nossa hora de ter conversas mais íntimas, de fazer perguntas abertas e nos afastarmos de nossa vida profissional. Ficamos de mãos dadas sobre a mesa, flertando e rindo." A ida ao café se transforma num encontro porque aquele é o momento especial para comunicar o que está no coração de cada um.

"Guardamos nossos debates profissionais para depois do café. Pode exigir prática deixar os assuntos de trabalho em segundo plano e se concentrar no relacionamento durante um encontro. Mas não deixe de se esforçar para isso", afirma Julie. "Faz toda a diferença."

OBSTÁCULOS PARA OS ENCONTROS A DOIS

Alguns leitores podem estar pensando que tudo parece ótimo e que, num mundo perfeito, os encontros a dois são factíveis – mas quem tem tempo, dinheiro ou alguém para cuidar dos filhos (se for o caso), etc.? Independentemente dos obstáculos, esses encontros são sempre possíveis, mesmo que para isso seja necessário usar um pouco de criatividade.

TEMPO: A vida pode ser tão atarefada que a ideia de encontrar tempo para mais uma obrigação parece esmagadora. Mas uma noite reservada ao namoro é mais do que uma obrigação – é um compromisso com o relacionamento e com suas esperanças de um casamento feliz. Isso ajuda a abrir um horário específico a cada semana e fazer desse acontecimento uma prioridade. A menos que alguém esteja no hospital, faça com que a noite de encontro seja à prova de qualquer coisa. Reserve um tempo como você faria para ir à igreja, festejar um aniversário ou qualquer outro evento especial que costumem celebrar juntos. Esses encontros devem ser momentos sagrados para honrar o vínculo entre vocês. Pense neles assim, marque-os na sua agenda pelo maior tempo possível – mesmo que seja apenas uma hora –, coloque uma bela roupa e apareça, não importa o que esteja acontecendo.

DINHEIRO: Os encontros não precisam ser dispendiosos. Na verdade, eles não precisam custar nada. Façam um piquenique, saiam para dar uma caminhada ou sentar-se num parque. Existem infinitas maneiras de passar o tempo juntos sem ir à falência. Sugerimos o melhor lugar para cada um dos oito encontros, dependendo do tema da conversa. São apenas sugestões. John e Julie tinham um encontro barato caprichando na roupa e se dirigindo para o Hotel Sorrento, em Seattle. Eles se sentavam no belo saguão em frente a uma lareira e tomavam apenas um drinque a noite inteira. Passavam horas fazendo perguntas abertas um ao outro.

COM QUEM DEIXAR AS CRIANÇAS: Casais que desejam sair à noite mas têm filhos pequenos costumam ter dificuldade. A solução não precisa ser cara nem estressante. Às vezes, tanto John e Julie quanto Doug e Rachel combinavam um rodízio com outros casais para que todos pudessem ter sua noite de encontro. Se isso não for possível, veja se há um parente ou um amigo próximo disposto a ajudar nessa missão. Peça recomendações de pessoas de confiança que trabalhem como babá. Quando os filhos eram pequenos, Doug e Rachel costumavam contratar babás com antecedência para várias noites de sábado, e assim eles não precisavam fazer malabarismos toda semana em busca de alguém na última hora. Alguns pais não gostam de deixar as crianças com terceiros, mas, se você encontrar alguém confiável para cuidar de seus filhos, você ensinará a eles que existem outras pessoas com quem podem contar, que são dignas de confiança. As crianças são incrivelmente resilientes e, ao demonstrar seu compromisso com o relacionamento, você cuida do bem-estar delas garantindo que sejam criadas por pais que mantêm um vínculo saudável e estável. Os filhos se alimentam do amor num casamento. Lembre-se de que você serve constantemente de modelo para eles, e você deseja que eles vejam que os pais mantêm um casamento amoroso.

Veja o que faz mais sentido na sua vida. Quando há vontade, sempre se encontra um caminho.

Além de dar a você opções de locais para cada ocasião, também oferecemos a alternativa do encontro em casa, com algumas atividades temáticas.

ALGUMAS ORIENTAÇÕES

A diretriz mais importante para este livro e para os oito encontros a dois é ter coração e mente abertos, ouvidos atentos, curiosidade e desejo de se conectar. Preparar-se com antecedência também ajuda.

LEIA UM POUCO: Leia cada capítulo sozinho ou junto com seu par antes do encontro. Cada capítulo começa explicando a importância do tema em questão e o que você precisa saber para torná-lo uma parte compensadora de um relacionamento duradouro. Também incluímos um resumo em cada capítulo chamado "Namoro a jato". Releia essa seção antes do encontro. Achamos que nada substitui a leitura dos capítulos, mas, se estiver com pressa, leia ao menos esse resumo. Em "Preparação", orientamos você a criar um encontro divertido e íntimo. Por sua vez, a seção "O encontro" apresenta as perguntas abertas a serem feitas e sugere algumas atividades que podem ser experimentadas na ocasião. E no final de cada capítulo você encontrará uma declaração para que os dois reafirmem seu futuro como casal, especificamente por meio do tópico que deve ser discutido.

FALE MUITO: Leve com você a lista de perguntas abertas para o tema específico. Elas servirão como guia e bússola da conversa. Nesses encontros, você vai falar sobre o que realmente importa e estabelecer uma ligação verdadeira com seu par. Por isso, tente se concentrar nos temas, nos exercícios e nas perguntas.

BEBA POUCO (OU NADA): Limite o consumo de bebida alcoólica durante o encontro. Você pode achar que o álcool relaxa as inibições – e isso é verdade –, mas ele também desinibe a agressividade, o que não é nada bom para a ocasião. Muitos casais aumentam as chances de brigar quando bebem. Tente não consumir mais do que o equivalente a uma taça de vinho em cada saída. Você quer ser coerente e estar presente por completo em suas conversas íntimas. Se deseja que seus encontros se deem principalmente em restaurantes, certifique-se de que sejam lugares onde vocês fiquem à vontade para conversar e possam se ouvir com clareza. Se não for uma boa ideia manter conversas importantes à noite ou durante uma refeição porque você pode se distrair com mais facilidade, descubra outro horário que funcione para os dois. Considere fazer encontros pela manhã ou até mesmo tirar uma hora de folga do trabalho durante a tarde, se for possível.

MANTENHA O SENSO DE HUMOR: Se quiser melhorar seu relacionamento ou se estiver preocupado com o rumo que ele vem tomando, você terá que abordar as conversas sugeridas neste livro. Sim, é um trabalho sério e importante, mas também queremos que você se divirta. Encontre humor em cada encontro. Encontre alegria, mesmo quando parecer difícil. Não se esqueça daquilo que fez você se apaixonar e, acima de tudo, não se esqueça de rir.

Quatro habilidades para uma conversa íntima

Os encontros que sugerimos aqui são uma forma de fazer o casal arranjar tempo um para o outro, além de favorecerem conversas significativas e pessoais. Ouvir é uma arte, e vamos tratar disso na próxima seção. Há todo um conjunto de habilidades para ter conversas que sejam ao mesmo tempo pessoais e significativas. Algumas pessoas têm mais facilidade com isso do que outras. As habilidades listadas a seguir vão ajudar você e seu par a expressar como se sentem. Essas habilidades e sugestões não são passos a serem seguidos em todas as conversas, embora seja possível fazê-lo. Elas devem ser usadas para dar início e sequência a uma conversa íntima.

Habilidade nº 1
COLOQUE EM PALAVRAS O QUE VOCÊ ESTÁ SENTINDO
Tente dizer: Eu me sinto...

☐ Aceito   ☐ Incompreendido   ☐ Abandonado
☐ Compreendido   ☐ Valorizado   ☐ Conectado
☐ Rejeitado   ☐ Desvalorizado   ☐ Não aceito

□ Próximo de você   □ Com raiva   □ Indignado

□ Distante de você □ Agitado   □ Apreensivo

□ Com medo   □ Solitário   □ Inibido

□ Confuso   □ Chateado   □ Excitado

□ Negligenciado   □ Alarmado   □ Romântico

□ Confortável   □ Ressentido   □ Pouco atraente

□ Desconfortável   □ Menosprezado   □ Arrependido

□ Carinhoso   □ Insultado   □ Descontente

□ Tenso   □ Cansado   □ Feliz

□ Traído   □ Deprimido   □ Alegre

□ Ignorado   □ Grato por ter você □ Entediado

□ Irritadiço   □ Fracassado

□ Alienado   □ Retraído

Agora fale POR QUE você tem esses sentimentos. Você pode descrever os eventos que geraram o sentimento, contar uma história da sua infância, revelar um insight que você teve. Vale abordar qualquer coisa que estabeleça uma conexão entre o sentimento e aquilo que você acha que pode tê-lo causado.

Habilidade nº 2
FAÇA PERGUNTAS ABERTAS AO SEU PAR DURANTE UMA CONVERSA ÍNTIMA
Tente fazer perguntas como:

O que você está sentindo?

O que mais você está sentindo?

Quais são suas necessidades?

O que você realmente deseja?

Como tudo isso aconteceu?

O que você gostaria muito de dizer, e para quem?

Em quais sentimentos você tem medo até de pensar?

Que sentimentos ambíguos você tem?

Que tipo de conflito interior você está vivendo?

Como isso se relaciona com seu passado?

Quais são suas obrigações (ou deveres) nesse caso?

Que escolha você precisa fazer?

O que seus valores dizem sobre tudo isso?

Pense em alguém que você realmente admire. O que essa pessoa faria e como ela veria essa situação?

Esses sentimentos e necessidades têm algum significado espiritual, moral, ético ou religioso para você?

Quem ou o que você desaprova?

Como isso afeta sua identidade, sua autoimagem?

Por quais mudanças você passou ou tem passado e como isso afeta seu presente?

Qual é a sua principal reclamação?

Como você gostaria que as coisas fossem resolvidas agora ou no futuro?

Imagine que lhe restam apenas seis meses de vida. O que seria mais importante para você?

Quais são seus objetivos?

O que *deveria* ser encarado como responsabilidade sua na situação atual?

Habilidade nº 3
FAÇA DECLARAÇÕES EXPLORATÓRIAS PARA AJUDAR SEU PAR A EXPRIMIR SENTIMENTOS E NECESSIDADES DURANTE UMA CONVERSA ÍNTIMA

Tente fazer algumas das seguintes declarações exploratórias:

Conte como isso [a situação sobre a qual ele/ela está falando] aconteceu.

Quero saber tudo que você está sentindo.

Fale comigo, estou ouvindo.

Para mim não há nada mais importante agora do que ouvir o que você tem a dizer.

Temos muito tempo para conversar. Leve o tempo que for preciso.

Diga quais são suas prioridades sobre esse assunto.

Diga do que você precisa agora.

Fale quais são as opções que você acha que existem no momento.

Tudo bem se não souber ao certo o que fazer, mas o que você tem em mente?

Estou entendendo perfeitamente. Continue.

Eu gostaria de entender melhor seus sentimentos em relação a isso. Fale mais.

Acho que você já pensou em algumas soluções. Diga quais são.

Eu queria entender essa situação do seu ponto de vista. Quais são os pontos mais importantes para você?

Diga o que mais preocupa você.

Fale mais sobre como você vê essa situação.

Conte sobre a decisão que você sente que deve tomar.

Habilidade nº 4
EXPRESSE TOLERÂNCIA, EMPATIA E COMPREENSÃO EM RELAÇÃO AO SEU PAR DURANTE UMA CONVERSA ÍNTIMA

Tente fazer declarações empáticas como estas:

O que você diz faz todo o sentido.

Entendo como você se sente.

Você deve estar se sentindo bastante desanimado(a).

Percebo seu desespero quando você toca nesse assunto.

Você está numa situação difícil.

Sinto sua dor.

Estou do seu lado.

Nossa, isso parece horrível!

Isso deve ser doloroso para você.

Eu apoio sua decisão.

Concordo plenamente com você.

Parece que você não tem para onde correr!

Você deve ter ficado muito indignado(a)!

Posso ver como você está sofrendo com isso.

Você deve ter se aborrecido muito.

Isso é aterrorizante.

Eu também ficaria decepcionado(a) no seu lugar.

Isso também teria me magoado.

Isso também me deixaria triste.

Nossa, deve ter doído muito!

Deve ter sido realmente frustrante.

Não é à toa que você sentiu raiva.

Ok, acho que entendi. Então o que você está sentindo é...

Veja se entendi direito. O que você está dizendo é que...

Eu me sentiria inseguro(a) nessa situação.

Isso soa assustador.

A arte da escuta

As perguntas sugeridas para cada um dos oito encontros são específicas e abertas, mas são apenas metade da equação. Ouvir é a outra metade, a parte mais importante. E é necessário um tipo especial de escuta. Ouvir para entender, sem fazer julgamentos, sem ficar na defensiva, sem o desejo de refutar. É uma forma de escuta com plena aceitação. Ouvir é um ato. É preciso estar comprometido. E não tem como fazer isso sem se abrir para o outro. Se você ficar fechado dentro de si mesmo, vai ouvir a sua própria voz, e não a da pessoa amada.

PRESTE ATENÇÃO: Guarde o celular, o tablet e quaisquer outros dispositivos eletrônicos. Desligue-os ou, pelo menos, coloque-os no modo silencioso. Demonstre interesse e curiosidade por aquilo que seu par está dizendo. Incline-se para a frente, faça contato visual e não o/a interrompa.

ESTEJA PRESENTE: A conversa é um diálogo, então ouvir não é apenas apertar o botão de pausa em seu monólogo. Quando você está presente como ouvinte, você não parte do princípio de que sabe o que vão dizer a seguir. Enquanto o outro estiver falando, evite pensar no que você dirá ou em como refutar aquilo. Simplesmente OUÇA.

FAÇA PERGUNTAS: Se não entender alguma coisa, faça perguntas e ouça com atenção as respostas. Lembre-se de que são as perguntas abertas que abrem o coração. Faça perguntas exploratórias que facilitem sua compreensão, como: "Você pode me contar mais sobre isso?", "Existe alguma história ou lembrança relacionada a isso?". Também tenha sempre em mente que não se trata de um interrogatório, mas de uma conversa.

SINTONIZE-SE: Como ouvinte, seu objetivo é sintonizar-se com os sentimentos do seu par. Cuidado para não minimizar os sentimentos da pessoa amada ao tentar consertá-la. Você não precisa fazê-la se sentir melhor ou animá-la. Seu único objetivo é simplesmente ouvir e tentar compreender.

TESTEMUNHE: Grande parte da escuta envolve testemunhar. Isso significa ouvir seu par para que ele não se sinta tão sozinho. Um jeito poderoso de testemunhar e mostrar que está presente é repetir com suas próprias palavras o que você ouviu e, assim, demonstrar acolhimento. Por exemplo, se seu par acabou de descrever um problema com uma amiga, você pode dizer: "Você parece mesmo muito chateada com sua amiga e com o comportamento exigente e crítico dela. Faz todo o sentido que você esteja se sentindo assim." Você não precisa soar como um terapeuta. Basta deixar que o outro saiba que foi ouvido. O curioso é que ele não sabe realmente o que se passa na sua cabeça, mesmo quando você acha que deveria saber. Demonstre que ouviu.

EVITE JULGAMENTOS: Não critique nem dê conselhos, a menos que sejam pedidos. Em cada conversa, queremos comunicar respeito, compreensão e empatia. As conversas que incentivamos exigem certa vulnerabilidade e abertura para que cada um se sinta seguro e livre e consiga compartilhar os pensamentos, sentimentos e medos mais íntimos. Lembre-se de que o objetivo não é provar que você está certo em suas crenças ou que seu par está errado. O objetivo é entender as semelhanças e as diferenças entre vocês e ter empatia quanto à visão de mundo da outra pessoa.

AMPLIE A ACEITAÇÃO: Nessas conversas, vocês vão aprofundar a compreensão um do outro, e isso exige um alto nível de vulnerabilidade. Tente entender o que motiva seu par e trabalhe para aceitá-lo como ele é, valorizando o que vocês têm e consolidando a gratidão mútua.

Ouvir nem sempre é fácil, mas sem isso é impossível ter uma conversa íntima. Há perguntas que você pode fazer para se orientar em seus encontros e em seu relacionamento. Com o tempo, elas se tornarão naturais. Algumas perguntas que podem ajudar você a entender seu par:

O que você está sentindo?

Do que você precisa?

Quais são suas opções?

Como posso ajudar?

Qual seria o pior desfecho possível para essa situação?

Qual seria a solução ideal para você?

Se você achar que não estão se entendendo, e sim caminhando para um conflito, respire fundo (contar até 10 realmente ajuda porque acalma os centros emocionais do cérebro) ou faça uma pausa para ir ao banheiro. Encontros não são momentos para processar divergências ou discutir sobre as discordâncias. Incluímos a seção "Solução de problemas" para cada um dos oito encontros, com dicas do que se deve ou não fazer para evitar conflitos. Se você achar que as coisas estão esquentando (e não no bom sentido), por favor veja "Brigas e reconciliações", na página 90. Você também pode encontrar recursos adicionais para lidar com conflitos no site do Gottman Institute, em gottman.com (em inglês).

Este é um trabalho importante, e sabemos que, ao embarcar nessa jornada juntos e ter essas oito conversas, vocês aprofundarão a amizade e o amor, criando uma base mais segura para a vida a dois. Dar o primeiro passo é 50% da tarefa – o que significa que sua jornada para uma vida inteira de amor já começou!

Namoro a jato
RESUMO DOS CAPÍTULOS INICIAIS
Não há como resumir os quatro capítulos iniciais de modo a preparar você para oito encontros bem-sucedidos. No entanto, se você for encontrar seu par dentro de cinco minutos, leia pelo menos as seções "Algumas orientações" e "A arte da escuta".

ENCONTRO 1

Conta comigo

CONFIANÇA E COMPROMISSO

B en e Leah se conheceram no campus da Universidade do Arizona. Toda vez que ele saía de sua aula de Introdução à Astronomia, ela estava sentada nos degraus do lado de fora, esperando a hora de entrar na sua aula seguinte. Ele não pôde deixar de reparar nela. "Estava sempre mergulhada num livro. Nunca olhava para mim, nem uma vez sequer. Se tivesse erguido os olhos, eu a teria cumprimentado, mas ela estava sempre lendo. Isso durou cinco semanas. Eu sabia tudo o que havia para saber sobre o topo de sua cabeça e seus sapatos, mas não mais que isso. Eu não tinha a mínima ideia de como ela era ou qual era a cor de seus olhos, mas ela me atraía. A capacidade de se concentrar daquela forma, o fato de estar sempre ali, tudo isso me deixou curiosíssimo. Ela se tornou uma parte habitual da minha semana, mas não fazia ideia de que eu existia. Tentei esbarrar nela uma vez, enquanto descia a escada, apenas um leve empurrão. Mesmo assim, ela apenas murmurou 'Tudo bem' quando eu pedi desculpas e não levantou a cabeça."

"Não parava de pensar nela", continuou Ben. "Não apenas nos dias em que tinha aquela aula, mas em todos. Quem ela era? Qual era seu nome? O que estava lendo?"

Certo dia, Ben decidiu que bastava e, quando a aula acabou, sentou-se nos degraus ao lado dela.

"Ele se sentou perto, muito perto, assim com os ombros quase encostando nos meus", disse Leah. "Eu estava lendo Sartre para a aula de Filosofia. Era denso. Filosofia não é brincadeira, e eu estava me esforçando. Fiquei irritada no começo, levantei a cabeça e lá estava ele com o maior sorriso no rosto, como se fôssemos amigos que não se viam há muito tempo."

Ben se lembra da expressão no rosto de Leah. "Fiquei tão feliz em ver seu rosto por inteiro e aqueles grandes olhos castanhos que esqueci completamente que eu era um desconhecido para ela. Para mim, ela não era uma desconhecida, mas com toda a certeza pareceu incomodada no começo."

Ben finalmente se apresentou e perguntou o que ela estava lendo. "Eu não queria desperdiçar minha chance de falar com ela, por isso continuei a fazer perguntas. Não dei brecha alguma para que ela encerrasse a conversa. Ela não conseguiria ser rude nem se tentasse – sorte a minha. Conversamos por uns vinte minutos até que ela precisou ir para a aula."

"Pelo resto do semestre, antes de cada aula, conversávamos durante vinte minutos", conta Leah. "Simplesmente conversávamos. Sobre todos os assuntos. Ele nunca me convidou para sair, nunca pediu meu telefone. Só ficava sentado naqueles degraus e fazia perguntas sobre minha vida. Hoje, quando penso nisso, acho que era um pouco esquisito. No fim das contas eu o convidei para sair. Acho que ele ficou espantado."

"Com certeza ela me assustou, mas é claro que aceitei. A questão é que eu já estava apaixonado por ela antes do nosso primeiro encontro, antes do nosso primeiro beijo, antes de qualquer coisa física."

"Ele estava sempre lá. Sempre sorrindo e fazendo perguntas sobre minha vida. Um dia, ele percebeu que eu estava com frio e me deu o moletom dele, e não o pediu de volta antes de ir embora. Não sei explicar, mas esse pequeno gesto me fez confiar nele. Ele fez com que eu me sentisse segura de um jeito estranho, que eu nem sabia que queria sentir. E tem sido assim desde então. Estamos juntos há quase cinco anos, planejamos nos casar e acho que nunca confiei tanto em ninguém na minha vida. E tudo começou com aquelas conversas na escada. Ele sempre aparecia e continua a aparecer, e ele sabe quando eu preciso de algo, às vezes antes mesmo que eu tenha consciência do que preciso. Ele é meu melhor amigo e o amor da minha vida."

Quando Ben e Leah foram ao encontro de "confiança e compromisso", descobriram que, durante a infância e a adolescência, haviam desenvolvido noções muito diferentes de compromisso. Leah explicou que, para ela, confiança é sentir-se segura e dispor de toda a atenção que Ben lhe dá. "Meus pais se divorciaram e minha mãe ficou emocionalmente abalada. Ela não interagia comigo nem prestava atenção em mim. Estava cansada o tempo todo. Não tinha disponibilidade para cuidar de mim, do ponto de vista emocional. Fiquei arrasada quando não consegui entrar para a equipe de animadoras de torcida da escola e ela nem tomou conhecimento disso. Pode parecer pouca coisa, mas doeu. Meu pai também não estava por perto. Os livros eram meu consolo. Eu me perdia na leitura. Então acho que confiança, para mim, é estar presente e dar atenção. É acreditar que a pessoa vai cumprir o que prometeu."

Ben e Leah descobriram que haviam desenvolvido noções muito diferentes de compromisso.

Os pais de Ben nunca se divorciaram, mas o compromisso do casal se baseava na crença de que Deus queria que ficassem juntos. "Eles estavam juntos, e nossa família sempre estava reunida, mas eu nunca os via passando muito tempo sozinhos um com o outro. Tudo girava em torno das crianças, da igreja e da rotina.

Eu me lembro de vê-los sem se falar e de pensar que eu nunca seria daquele jeito. Eles eram fiéis sexualmente", acrescentou Ben, "mas não sei até que ponto estavam realmente comprometidos como pessoas, se é que você me entende. Vi meu pai olhando para outras mulheres algumas vezes e era esquisito."

Ben achou esclarecedor participar do encontro sobre confiança. "Eu não sabia sobre a equipe de animadoras de torcida, mas faz sentido. Eu sei quanto é importante que eu apareça quando digo que vou aparecer, e agora faz sentido para mim a reação que ela teve certa vez, quando precisei cancelar nossos planos de acampar."

"Eu não reagi bem", concordou Leah, aos risos. "Mas depois dessa conversa nós dois percebemos que confiança é bem mais do que apenas não trair, como muita gente pensa. É dar sua palavra, sobre questões importantes ou triviais, e ser fiel a ela."

"E ela nunca devolveu meu moletom."

ESCOLHENDO O COMPROMISSO

Num relacionamento, o compromisso é uma escolha que fazemos a cada dia, o tempo todo. Fazemos isso mesmo quando estamos cansados, sobrecarregados e estressados; mesmo que alguém muito atraente cruze nosso caminho. Também fazemos essa escolha toda vez que nosso par pede atenção e deixamos o livro de lado, tiramos os olhos da televisão ou do celular, ou paramos o que quer que estejamos fazendo para reconhecer sua importância em nossa vida. Esse reconhecimento pode exigir apenas um sorriso ou uma conversa – seja o que for, procuramos corresponder de verdade. Quando priorizamos nosso relacionamento *mostrando* que ele é prioridade, construímos confiança e demonstramos nossa lealdade muito além de quaisquer palavras ditas nos votos de casamento. O que o Love Lab descobriu é que são os pequenos gestos positivos, repetidos com frequência, que mais fazem diferença e constroem esse casulo de confiança e segurança em nossos vínculos.

Então o que significa compromisso verdadeiro? A resposta mais óbvia é que estar comprometido significa resistir às possibilidades de se envolver com outras pessoas. Somos fiéis ao nosso par do ponto de vista sexual e emocional. Impomos limites em nossas relações fora do casamento. A Dra. Shirley Glass, que foi uma das maiores especialistas mundiais em infidelidade, escreveu um livro intitulado *Not "Just Friends"* (Não apenas "bons amigos"). Em essência, o que ela diz nessa obra pode ser resumido em termos de muros e janelas. Quando você é casado ou comprometido com alguém, o ideal é criar um muro ao redor do casal com uma janela aberta entre vocês dois.

Esse muro separa vocês das outras pessoas em termos de suas conexões emocionais e físicas mais profundas. O que a Dra. Glass descobriu em sua pesquisa foi que, quando as pessoas (em especial aquelas que estão infelizes no relacionamento) começam a fazer confidências sobre a relação para um terceiro, elas abrem uma janela para quem vem de fora. E, ao manter secreto esse novo vínculo platônico ou emocional, um muro começa a ser erguido entre o indivíduo e seu par original. Não pode haver muros entre vocês se quiserem ter confiança, compromisso e lealdade duradouros. E janelas para um amigo próximo (seja do sexo oposto ou do mesmo sexo) fora do seu relacionamento podem rapidamente se tornar portas de entrada, e é aí que acontecem as traições. Não é impossível ter amigos assim, mas você precisa estar ciente de seus limites, e é um imenso sinal de alerta se um dos dois começa a manter em segredo uma nova amizade. É como um muro sendo construído entre os dois e dificultando o compromisso mútuo.

Não há dúvida de que assumir um compromisso com alguém pode ser aterrorizante. Significa colocar todos os nossos ovos num único cesto. Não há ninguém esperando no banco de reservas se essa relação não funcionar. Não existe rede de segurança. Quando as coisas não vão bem, não procuramos mais ninguém para reclamar. Precisamos ir diretamente ao nosso par para resolver os assuntos. Além disso, se estivermos comprometidos, damos a essa pessoa tudo o que temos a oferecer. Nada sobra para outro amante. É uma decisão arriscada, mas essencial. Sem esse nível de compromisso, o amor não tem como durar.

Escolher o compromisso significa aceitar seu par exatamente como ele é, apesar de seus defeitos. Significa nunca ameaçar deixá-lo, mesmo que às vezes você queira. Também significa se importar com a dor dele tanto quanto com a sua própria, ou até mais. Como John tão bem explica: "Se minha esposa está sofrendo, meu mundo para de girar para que eu possa ouvi-la." Quando há compromisso num relacionamento, o mundo para de girar para que o casal tente entender e aliviar a dor mútua. É em parte por isso que nos casamos e é em parte por isso que amamos. Precisamos um do outro e precisamos ser necessários um para o outro. O verdadeiro compromisso é escolher um ao outro repetidamente, porque, afinal, o que faz um relacionamento dar certo é a decisão de fazê-lo funcionar.

Quando há compromisso num relacionamento, o mundo para de girar para que o casal tente entender e aliviar a dor mútua.

Há um passo que precipita todas as traições. Muitas vezes ele acontece quando as coisas não estão indo bem. Esse passo é fazer comparações negativas do nosso par com outros pretendentes, sejam eles reais ou imaginários. Em vez de nutrir gratidão pelo relacionamento que temos, nutrimos ressentimento pelo que está faltando. Quando algo no outro nos incomoda, em vez de conversarmos sobre o assunto para satisfazer nossas necessidades a dois, fantasiamos sobre outra pessoa que nos daria tudo que está faltando. Esse tipo de comparação é um jeito perigoso de lidar com os sentimentos negativos na vida em comum.

MERGULHANDO DE CABEÇA

Muitos anos atrás, John vinha trabalhando com um casal por várias semanas. Certa noite, ao aparecer na hora marcada, o casal deixou claro que estava tudo "acabado". John era o sexto terapeuta consultado e, no que dizia respeito àqueles dois, a terapia estava fracassando e era hora de romper o tratamento com John, e talvez também fosse a hora de romper um com o outro. John ficou surpreso e lamentou que o casal estivesse desistindo. Ele achava que o caso estava indo bem e que ambos vinham tendo progresso.

– Poderiam me fazer um favor? – pediu John. – Como já pagaram por esta sessão, estariam dispostos a ficar e me ajudar a entender por que minha terapia falhou com os dois? Como terapeuta, tenho um compromisso comigo mesmo de crescer com meus fracassos.

O casal concordou em ficar. John perguntou como tinha sido a semana.

– Tivemos uma grande discussão... – começou a mulher, mas o marido a interrompeu para continuar a história.

– Fomos a uma festa e eu estava no meio de uma ótima conversa com uma mulher que conheci por lá. Aí minha esposa bateu no meu ombro, como sempre faz, e disse que estava cansada e que queria voltar para casa e dormir.

John assentiu. Ele já tinha ouvido aquele casal brigar feio algumas vezes até chegarem a um acordo. O marido era um empresário de sucesso, enquanto a esposa era uma terapeuta que tinha praticamente deixado de trabalhar para ficar em casa com os filhos, e os conflitos eram sempre sobre tempo, dinheiro e, finalmente, sobre quem mandava. John pediu que explicassem mais sobre o incidente da festa e como aquilo os levara a decidir pelo fim da terapia.

– Pois bem – disse o homem –, ela estava cansada e queria ir embora, então na volta para casa eu disse que tinha achado a mulher na festa muito atraente e tinha gostado muito de conversar com ela.

Sem esboçar reação, John ouviu o homem contar que dissera à esposa que os dois não conversavam mais daquele jeito e que ele tinha se empolgado com a mulher na festa porque ela estava flertando com ele, e já fazia muito tempo que ele e a esposa não flertavam assim.

– E o que você respondeu? – perguntou John à mulher.

– Fiquei com raiva e disse para ele virar adulto e parar de flertar com outras mulheres.

– E o que você estava pensando?

A mulher refletiu por um momento e depois disse:

– Eu estava pensando que gostaria de estar com um homem mais maduro e que eu poderia encontrar alguém melhor.

Foi nesse momento que John entendeu por que sua terapia não tinha funcionado e por que o casal passara por cinco outros terapeutas antes de procurá-lo.

– Podem ir agora – disse ele ao casal. – Entendi por que a terapia não está funcionando. Obrigado.

O casal ficou atordoado, sem conseguir se levantar. Ambos pediram a John que contasse o que havia descoberto com aquela discussão que deixara tudo tão claro para ele.

– Muito bem – começou John –, vocês dois se apaixonaram, ficaram noivos e se casaram. Compraram uma casa juntos e tiveram dois filhos. Mas não há compromisso nesse relacionamento. Vocês estão sempre pensando que poderia haver alguém melhor. Você conhece uma mulher numa festa e, enquanto conversa e flerta animadamente, você a compara com sua esposa e acha que poderia encontrar alguém melhor. E, quando seu marido reclama, você também acha que estaria melhor com um homem mais maduro. Vocês não estão realmente comprometidos.

O marido começou a protestar:

– Tudo o que faço é pela minha família. Eu me sacrifico todos os dias. Como pode dizer que não estou comprometido?

A esposa também manifestou seu protesto:

– Cuido de tudo em casa, mesmo tendo um trabalho estressante.

– Deixem-me contar a história de *Alice no País das Maravilhas* – disse John. – Alice vê um coelho muito incomum descer por um buraco e pula atrás dele com vontade. Ela não tem ideia de como vai ser essa jornada, e o País das Maravilhas não é realmente um lugar tão bom assim... Há coisas assustadoras, coisas desafiadoras e outras que são interessantes e fascinantes. É uma aventura, e Alice não sabe o que a espera, mas mesmo assim se joga. Alice não hesita nem pensa que talvez um coelho melhor apareça amanhã. Ela sente em seu coração que está embarcando numa jornada profunda que, apesar das dificuldades, ainda é mágica e incrível. Alice não olha para trás e não questiona a aventura que escolheu. Isso é compromisso. Vocês nunca fizeram isso. Vocês apresentam todos os aparatos do compromisso e da lealdade, mas vão a uma festa e pensam que outra pessoa poderia atender melhor às suas necessidades. Vocês não gostam do comportamento um do outro e acham que isso significa que o outro não é a pessoa certa. Quando negociam entre si, é sempre em nome do interesse próprio, e não do benefício mútuo. Os dois não construíram confiança, nem compromisso, nem uma base de lealdade mútua porque não estão realmente dentro do relacionamento. É por isso que nenhum terapeuta pode ajudá-los. Os dois ainda estão olhando para trás, pensando que a grama seria mais verde se tivessem seguido outro coelho por outra toca, em algum País das Maravilhas diferente.

O casal saiu um tanto atordoado. Alguns meses depois, John ligou para saber como estavam. Eles contaram que, depois de deixar o consultório, passaram muitas noites conversando sobre compromisso e lealdade e sobre o que essas palavras realmente significavam para cada um deles. Haviam se mudado para outro estado e estavam se consultando com um novo terapeuta, que os ajudava a descobrir por que eles nunca formaram um vínculo realmente seguro entre si e por que nunca haviam conversado sobre quais seriam seus valores e expectativas em torno da confiança, da lealdade e do compromisso. Eles pareciam empenhados e atenciosos, e John viu que ainda havia uma chance para o casal.

DESCOBRINDO SEU PRÓPRIO PAÍS DAS MARAVILHAS

Chegará um momento na sua relação em que as coisas ficarão difíceis – a outra pessoa vai ferir seus sentimentos, incomodar ou decepcionar você. E nesse momento sombrio, quando estiver com raiva, triste ou desapontado, você poderá se perguntar se escolheu o coelho certo para seguir toca adentro. Poderá até haver um momento em que você acreditará que poderia "encontrar alguém melhor" que a pessoa à sua frente, causando incômodo, dor ou decepção. O fato é que as pessoas verdadeiramente comprometidas entre si não deixam um pé para fora da porta. Elas investiram muito. Todos os seus ovos estão no mesmo cesto. Elas não ameaçam ir embora na hora das dificuldades. E não desperdiçam tempo pensando que o par perfeito ainda está por aí em algum lugar, e que essa pessoa idealizada será mais fácil de conviver ou mais apta a atender às suas necessidades do que aquela muito real, muito humana e muito imperfeita que escolheram amar, honrar e estimar. E vale repetir: se as coisas não estão indo bem, expressam suas preocupações ao parceiro, em vez de reclamar com outras pessoas pelas suas costas.

Pessoas verdadeiramente comprometidas entre si não deixam um pé para fora da porta.

Comprometer-se com um relacionamento requer certo nível de vulnerabilidade que pode ser bem mais assustador do que qualquer coisa que Alice encontrou no País das Maravilhas. Ela atenderá às minhas necessidades? Ele realmente estará ao meu lado quando eu precisar? Ela vai me amar pelo que sou ou vai tentar me mudar? Ela vai me criticar para os outros? Vai me trair? Vai me amar e cuidar de mim se eu ficar doente? Ele vai me deixar?

São medos muito reais que podemos sentir quando decidimos nos comprometer com alguém por toda a vida. Quando nos apaixonamos, muitas vezes nos comportamos da melhor maneira possível. Entramos com nosso lado mais saudável. Mas, à medida que os laços se estreitam, cada pessoa se torna mais real, mais transparente e, portanto, mais vulnerável. Ninguém é perfeito, ninguém é desprovido de peculiaridades ou inseguranças, por mais seguros que possamos parecer. E é aqui que entra a verdadeira magia: quanto mais sinceros somos, mais podemos descobrir que nosso par realmente nos ama pelo que somos, e não pela versão idealizada que aparece no início do namoro. A vulnerabilidade cria confiança, e a confiança é o oxigênio de que o relacionamento necessita para se manter vivo. A confiança também é construída ao longo do tempo, com muitas conversas – como aquelas que Ben e Leah tiveram e as que você terá com a ajuda deste livro. Ter confiança é o pano de fundo de qualquer relação a dois. A confiança acontece nos pequenos momentos em que mostramos que estamos ao lado do nosso par e ele faz o mesmo por nós. A confiança se desenvolve quando nos sintonizamos com a pessoa amada, quando a ouvimos e a apoiamos nos momentos em que ela experimenta uma emoção negativa – tristeza, raiva, insatisfação ou medo, mesmo se essas emoções forem despertadas por nós. Em todas as nossas decisões pensamos não apenas em nos beneficiar, mas ao nosso par também. A confiança mútua reside na crença de que os dois pensam pelos dois. Não estamos negociando a melhor jogada para nós mesmos. Consideramos sempre o que qualquer opção vai representar para o outro.

> À medida que os laços se estreitam, cada pessoa se torna mais real, mais transparente e, portanto, mais vulnerável.

Existem muitas maneiras de destruir a confiança num relacionamento. Estas são as dez mais comuns:

Não aparecer na hora marcada.

Não tornar seu par uma prioridade.

Não estar presente quando seu par estiver sofrendo ou doente.

Não contribuir para o bem-estar da família (*eu* em vez de *nós*).

Não cumprir promessas.

Ter segredos.

Mentir.

Humilhar ou menosprezar seu par em público ou a sós.

Cometer ato de infidelidade física ou emocional.

Usar de violência física.

Em todos os dias de nossa vida num casamento ou num relacionamento, em cada interação, em cada discussão, pairam estas perguntas importantes:

Você gosta de mim?

Que importância eu tenho para você?

Eu venho em primeiro lugar na sua vida?

Você vai deixar de me dar valor?

Você está sempre em busca de alguém melhor do que eu?

Você vai se importar quando eu estiver chateado com você e ouvirá minhas preocupações?

Respondemos a essas perguntas com gestos grandiosos e singelos, e isso constrói nosso compromisso, nosso investimento emocional e a confiança dia após dia. Mostramos ao outro diariamente que prezamos seus pontos positivos e minimizamos os negativos. Se vocês discutirem seus valores em torno da confiança e se comprometerem juntos a respeitar esses valores com ações concretas, o relacionamento será nutrido.

QUANDO A CONFIANÇA FOI ABALADA

Caso tenha rompido algum dos acordos de confiança, há passos que você pode seguir para consertar o que foi abalado. São passos válidos para situações graves ou leves, mas não é possível pular nenhuma destas etapas:

1 Vocês definem um horário e um local específicos para conversar.

2 Cada um relata o que sentiu durante o incidente ou quando ocorreu o abalo na confiança, sem culpa nem crítica.

3 Um ouve o outro sem feedback nem julgamento.

4 Cada um descreve o que aconteceu no incidente do seu ponto de vista, sem culpar ou criticar o outro, enquanto o outro apenas ouve e tenta ter empatia. O ouvinte não deve expor seu ponto de vista até que seja sua vez de falar.

5 Vocês explicam e examinam quaisquer sentimentos que tenham sido desencadeados pelo incidente mas que já tenham se originado muito antes desse relacionamento. Por exemplo, um de vocês não compareceu a um jantar e isso desencadeou um sentimento de abandono que o outro tem desde a infância ou desde uma rejeição ou infidelidade ocorrida num envolvimento passado.

6 Cada um avalia como contribuiu para o incidente e assume sua responsabilidade.

7 Cada um pede desculpas e aceita o pedido de desculpas do outro.

8 Vocês fazem um plano juntos para evitar que isso volte a acontecer.

Cada um dos oito encontros é um experimento de vulnerabilidade, e *esperamos* que, nesta primeira ocasião, a conversa sobre o que a confiança significa para cada um não apenas os aproxime, mas seja também um passo para criar o relacionamento que ambos desejam por toda a vida.

APREÇO

Na verdade, o compromisso é construído ao se pensar e em seguida comunicar ao outro como ele é precioso e insubstituível. Na mente, assim como na comunicação, construímos o compromisso nutrindo nossa gratidão pelo que temos com a pessoa amada. Acreditamos que ninguém pode se igualar a ela e, em nossa mente, ampliamos seus pontos positivos e minimizamos os negativos. Pensamos e comunicamos que ninguém – real ou imaginário – pode ser comparado ao nosso par, muito menos superá-lo.

A traição é alimentada quando se comunica ao parceiro que ele carece de certas qualidades que consideramos imprescindíveis e que, portanto, ele é facilmente substituível. Na mente, assim como na comunicação, construímos a traição alimentando o ressentimento pelo que falta no outro. Pensamos que muitas pessoas podem facilmente se igualar ao nosso par e, em nossa mente, ampliamos seus pontos negativos e minimizamos os positivos. Pensamos e comunicamos que há pessoas – reais ou imaginárias – que poderiam se igualar a quem está conosco, ou até ser melhores.

A seguir, apresentamos 99 maneiras possíveis de demonstrar seu apreço ao seu par (na verdade, existe um milhão de maneiras, mas se listássemos todas, o livro ficaria muito extenso).

Exercício
QUANTO VOCÊ REALMENTE APRECIA SEU PAR?

Instruções: Imagine um retrato em tamanho real do seu par. Agora imagine cobrir esse retrato com post-its que contam a história de tudo o que vocês realizaram e desfrutaram juntos. Você pode incluir todas as situações divertidas, os momentos de conforto, as coisinhas bobas, os sonhos, as frustrações que venceram. Basta considerar toda a sua história e pensar no que você recebeu até agora como fruto dessa vida em comum.

Agora leia as afirmações adiante. Cada uma delas é um motivo para comunicar que você aprecia seu parceiro. São respostas simples, sim ou não, e há um motivo para que sejam tantas. Pensar em maneiras de valorizar seu par tornará poderosa sua conexão. Além disso, listamos muitas porque não é provável que todas sejam significativas para você – mas, quando forem significativas (esperamos que muitas sejam!), comprometa-se a dizer ao outro que você aprecia essa qualidade nele. Para não esquecer, faça um x no quadradinho "Dizer ao parceiro". Não seja como o fazendeiro sueco que amava tanto a esposa que um dia quase lhe contou. Crie um horário fixo – talvez uma vez por semana – para expressar em voz alta sua afeição.

APRECIO VOCÊ PORQUE...
1 Brincamos e nos divertimos juntos. ☐ SIM ☐ NÃO
   ☐ DIZER AO PARCEIRO
2 Rimos juntos facilmente. ☐ SIM ☐ NÃO ☐ DIZER AO PARCEIRO
3 Viajamos bem juntos. ☐ SIM ☐ NÃO ☐ DIZER AO PARCEIRO

4   Ninguém no mundo pode substituir você. ☐ SIM ☐ NÃO
    ☐ DIZER AO PARCEIRO

5   Conseguimos consolar um ao outro. ☐ SIM ☐ NÃO
    ☐ DIZER AO PARCEIRO

6   Resolvemos nossas finanças juntos. ☐ SIM ☐ NÃO
    ☐ DIZER AO PARCEIRO

7   Aprendemos a confiar um no outro de verdade.
    ☐ SIM ☐ NÃO ☐ DIZER AO PARCEIRO

8   Você apoiou um sonho pessoal meu. ☐ SIM ☐ NÃO
    ☐ DIZER AO PARCEIRO

9   Você tem sido um grande provedor. ☐ SIM ☐ NÃO
    ☐ DIZER AO PARCEIRO

10 Vivemos grandes aventuras juntos. ☐ SIM ☐ NÃO
    ☐ DIZER AO PARCEIRO

11 Fizemos ótimas viagens estrada afora. ☐ SIM ☐ NÃO
    ☐ DIZER AO PARCEIRO

12 Gostamos de aprender juntos. ☐ SIM ☐ NÃO ☐ DIZER AO PARCEIRO

13 Você me conhece bem. ☐ SIM ☐ NÃO ☐ DIZER AO PARCEIRO

14 Amo seu jeito de curtir a natureza. ☐ SIM ☐ NÃO
    ☐ DIZER AO PARCEIRO

15 Gostamos de cantar juntos. ☐ SIM ☐ NÃO ☐ DIZER AO PARCEIRO

16 Fizemos coisas juntos que eu não poderia ter feito com mais
    ninguém. ☐ SIM ☐ NÃO ☐ DIZER AO PARCEIRO

17 Você tem sido digno de confiança. ☐ SIM ☐ NÃO
    ☐ DIZER AO PARCEIRO

18 Ajudamos a curar um ao outro depois de sofrer uma perda
    ou de passar por uma grande dificuldade. ☐ SIM ☐ NÃO
    ☐ DIZER AO PARCEIRO

19 Criamos um filho juntos. ☐ SIM ☐ NÃO ☐ DIZER AO PARCEIRO

20 Você vale mais para mim do que riquezas e joias.
☐ SIM ☐ NÃO ☐ DIZER AO PARCEIRO

21 Você tem sido leal. ☐ SIM ☐ NÃO ☐ DIZER AO PARCEIRO

22 Amo sua espontaneidade. ☐ SIM ☐ NÃO ☐ DIZER AO PARCEIRO

23 Você me ensinou muito. ☐ SIM ☐ NÃO ☐ DIZER AO PARCEIRO

24 Você me aceita apesar dos meus defeitos.
☐ SIM ☐ NÃO ☐ DIZER AO PARCEIRO

25 Você entendeu alguns dos meus objetivos pessoais.
☐ SIM ☐ NÃO ☐ DIZER AO PARCEIRO

26 Tocamos música juntos muito bem. ☐ SIM ☐ NÃO
☐ DIZER AO PARCEIRO

27 Respeito sua sabedoria. ☐ SIM ☐ NÃO ☐ DIZER AO PARCEIRO

28 Formamos uma grande dupla. ☐ SIM ☐ NÃO
☐ DIZER AO PARCEIRO

29 Adoro a maneira como você recebe as visitas.
☐ SIM ☐ NÃO ☐ DIZER AO PARCEIRO

30 Adoro sua organização e eficiência. ☐ SIM ☐ NÃO
☐ DIZER AO PARCEIRO

31 Gostamos de ouvir música juntos. ☐ SIM ☐ NÃO
☐ DIZER AO PARCEIRO

32 Admiro muitas de suas habilidades. ☐ SIM ☐ NÃO
☐ DIZER AO PARCEIRO

33 Você amou ou ajudou alguns de meus familiares.
☐ SIM ☐ NÃO ☐ DIZER AO PARCEIRO

34 Admiro sua coragem. ☐ SIM ☐ NÃO ☐ DIZER AO PARCEIRO

35 Respeito seus valores. ☐ SIM ☐ NÃO ☐ DIZER AO PARCEIRO

36 Você entende meu senso de humor. ☐ SIM ☐ NÃO
☐ DIZER AO PARCEIRO

37 Você ficou do meu lado quando alguém me fez mal.
☐ SIM ☐ NÃO ☐ DIZER AO PARCEIRO

38 Nosso sexo é ótimo. ☐ SIM ☐ NÃO ☐ DIZER AO PARCEIRO

39 Você está sempre com uma ótima aparência. ☐ SIM ☐ NÃO
☐ DIZER AO PARCEIRO

40 Você me protegeu muitas vezes quando eu estava para baixo.
☐ SIM ☐ NÃO ☐ DIZER AO PARCEIRO

41 Posso contar com você nos momentos de dificuldade.
☐ SIM ☐ NÃO ☐ DIZER AO PARCEIRO

42 Amamos juntos um animal de estimação. ☐ SIM ☐ NÃO
☐ DIZER AO PARCEIRO

43 Somos apaixonados um pelo outro. ☐ SIM ☐ NÃO
☐ DIZER AO PARCEIRO

44 Com você sinto segurança. ☐ SIM ☐ NÃO ☐ DIZER AO PARCEIRO

45 Amamos juntos uma criança. ☐ SIM ☐ NÃO
☐ DIZER AO PARCEIRO

46 Você é uma pessoa gentil. ☐ SIM ☐ NÃO ☐ DIZER AO PARCEIRO

47 Você me perdoou quando cometi um grande erro.
☐ SIM ☐ NÃO ☐ DIZER AO PARCEIRO

48 Ajudamos juntos um amigo necessitado. ☐ SIM ☐ NÃO
☐ DIZER AO PARCEIRO

49 Adoro seu romantismo. ☐ SIM ☐ NÃO ☐ DIZER AO PARCEIRO

50 Vejo que você sente atração por mim. ☐ SIM ☐ NÃO
☐ DIZER AO PARCEIRO

51 Amo sua mente. ☐ SIM ☐ NÃO ☐ DIZER AO PARCEIRO

52 Você é uma pessoa generosa. ☐ SIM ☐ NÃO
☐ DIZER AO PARCEIRO

53 Resolvemos alguns conflitos importantes entre nós.
☐ SIM ☐ NÃO ☐ DIZER AO PARCEIRO

54 Cuidamos juntos de um parente. ☐ SIM ☐ NÃO
☐ DIZER AO PARCEIRO

55 Respeito a maneira como você tratou um amigo.
☐ SIM ☐ NÃO ☐ DIZER AO PARCEIRO

56 Eu me sinto amado e cuidado por você. ☐ SIM ☐ NÃO
☐ DIZER AO PARCEIRO

57 Adoro ver você tomando banho. ☐ SIM ☐ NÃO
☐ DIZER AO PARCEIRO

58 Você ajudou a construir um lar de paz e tranquilidade.
☐ SIM ☐ NÃO ☐ DIZER AO PARCEIRO

59 Você é uma pessoa atenciosa. ☐ SIM ☐ NÃO
☐ DIZER AO PARCEIRO

60 Desenvolvemos juntos valores éticos semelhantes.
☐ SIM ☐ NÃO ☐ DIZER AO PARCEIRO

61 Você ama minha mãe. ☐ SIM ☐ NÃO ☐ DIZER AO PARCEIRO

62 Você me deu força quando eu tive medo. ☐ SIM ☐ NÃO
☐ DIZER AO PARCEIRO

63 Fizemos passeios muito românticos. ☐ SIM ☐ NÃO
☐ DIZER AO PARCEIRO

64 Nossos valores e crenças se fundiram. ☐ SIM ☐ NÃO
☐ DIZER AO PARCEIRO

65 Respeito sua inteligência. ☐ SIM ☐ NÃO ☐ DIZER AO PARCEIRO

66 Você me apoiou contra os meus inimigos.
☐ SIM ☐ NÃO ☐ DIZER AO PARCEIRO

67 Adoro que você presta atenção no que eu digo em
determinadas ocasiões. ☐ SIM ☐ NÃO ☐ DIZER AO PARCEIRO

68 Você é um ótimo pai/uma ótima mãe. ☐ SIM ☐ NÃO
☐ DIZER AO PARCEIRO

69 Quando eu fiquei doente, você cuidou de mim.
☐ SIM ☐ NÃO ☐ DIZER AO PARCEIRO

70 Quando eu mais duvidei de mim, você ficou ao meu lado.
☐ SIM ☐ NÃO ☐ DIZER AO PARCEIRO

71 Você apoiou meus objetivos pessoais. ☐ SIM ☐ NÃO
☐ DIZER AO PARCEIRO

72 Adoro que você não seja arrogante. ☐ SIM ☐ NÃO
☐ DIZER AO PARCEIRO

73 Você me defendeu quando alguém me criticou em público.
☐ SIM ☐ NÃO ☐ DIZER AO PARCEIRO

74 Juntos geramos um filho. ☐ SIM ☐ NÃO ☐ DIZER AO PARCEIRO

75 Juntos criamos um lar. ☐ SIM ☐ NÃO ☐ DIZER AO PARCEIRO

76 Tivemos muitos objetivos em comum na vida.
☐ SIM ☐ NÃO ☐ DIZER AO PARCEIRO

77 Você não é esnobe. ☐ SIM ☐ NÃO ☐ DIZER AO PARCEIRO

78 Sinto muita atração por você. ☐ SIM ☐ NÃO
☐ DIZER AO PARCEIRO

79 Estamos juntos há muito tempo. ☐ SIM ☐ NÃO
☐ DIZER AO PARCEIRO

80 Trabalhamos juntos para criar uma comunidade. ☐ SIM
☐ NÃO ☐ DIZER AO PARCEIRO

81 Você é motivo de orgulho para mim. ☐ SIM ☐ NÃO
☐ DIZER AO PARCEIRO

82 Superamos as adversidades juntos. ☐ SIM ☐ NÃO
☐ DIZER AO PARCEIRO

83 Posso ser eu mesmo com você. ☐ SIM ☐ NÃO
☐ DIZER AO PARCEIRO

84 Você sempre apoiou meu desenvolvimento pessoal.
☐ SIM ☐ NÃO ☐ DIZER AO PARCEIRO

85 Amo sua simpatia com desconhecidos. ☐ SIM ☐ NÃO
☐ DIZER AO PARCEIRO

86 Você me ajudou a atravessar o luto. ☐ SIM ☐ NÃO
☐ DIZER AO PARCEIRO

87 Gosto muito de praticar minha religião ao seu lado.
☐ SIM ☐ NÃO ☐ DIZER AO PARCEIRO

88 Sei que podemos superar qualquer turbulência juntos.
☐ SIM ☐ NÃO ☐ DIZER AO PARCEIRO

89 Gosto de sempre poder falar com você quando me sinto por baixo. ☐ SIM ☐ NÃO ☐ DIZER AO PARCEIRO

90 Adoro o modo como você tem sido honesto. ☐ SIM ☐ NÃO
☐ DIZER AO PARCEIRO

91 Respeito o fato de você trabalhar muito. ☐ SIM ☐ NÃO
☐ DIZER AO PARCEIRO

92 Adoro que você consegue rir de si mesmo. ☐ SIM ☐ NÃO
☐ DIZER AO PARCEIRO

93 Comemoramos os sucessos juntos. ☐ SIM ☐ NÃO
☐ DIZER AO PARCEIRO

94 Você é um dos meus melhores amigos. ☐ SIM ☐ NÃO
☐ DIZER AO PARCEIRO

95 Acho ótimo que você não seja nem um pouco falso.
☐ SIM ☐ NÃO ☐ DIZER AO PARCEIRO

96 Houve momentos em que me senti perdido e você me ajudou a encontrar o caminho. ☐ SIM ☐ NÃO
☐ DIZER AO PARCEIRO

97 Amo nossa conexão espiritual. ☐ SIM ☐ NÃO
☐ DIZER AO PARCEIRO

98 Você tem sido forte em momentos em que me senti muito fraco. ☐ SIM ☐ NÃO ☐ DIZER AO PARCEIRO

99 Sinto que podemos nos orgulhar do que construímos juntos na vida. ☐ SIM ☐ NÃO ☐ DIZER AO PARCEIRO

Namoro a jato
RESUMO DOS CAPÍTULOS INICIAIS

- » Confiança é cuidar um do outro e mostrar ao seu par que ele pode contar com você.

- » O compromisso diário, que implica confiança, significa que:
    - ~ Você investe emocionalmente tudo o que tem nesse relacionamento.
    - ~ Você escolhe resistir às possibilidades de se envolver com outras pessoas e impõe limites com todos os vínculos fora do relacionamento para manter intacta a confiança entre o casal.
    - ~ Se as coisas não estão indo bem, você manifesta seus sentimentos e necessidades ao seu par, em vez de reclamar com terceiros.
    - ~ Você aceita seu par como ele é, apesar das falhas.
    - ~ Você valoriza o que tem e nutre a gratidão.
    - ~ Você nunca ameaça terminar o relacionamento.
    - ~ Você se preocupa com a dor do seu par tanto quanto com a sua, ou até mais.

- » Uma pessoa destrói a confiança num relacionamento quando:
    - ~ Não faz do seu par uma prioridade.
    - ~ Não cumpre as promessas que faz.
    - ~ Não fica ao lado do parceiro em momentos de dor ou doença.
    - ~ Mente, tem segredos, é infiel.

» Estas são as perguntas importantes que fazemos um ao outro quando se trata de confiança, lealdade e compromisso:

- Posso confiar em você?
- Você estará ao meu lado se eu precisar?
- Você será fiel?
- Você vai estar comigo se eu estiver sofrendo?
- Que importância tenho para você?

O encontro:
CONFIANÇA E COMPROMISSO

TEMA DA CONVERSA
⋙ Como andam a confiança e o compromisso em nosso relacionamento? Como podemos nos sentir seguros um com o outro? Quais são nossos acordos sobre confiança e compromisso?

PREPARAÇÃO
⋙ Leia este capítulo e destaque as partes que ecoarem mais profundamente em você. Defina confiança e compromisso com suas próprias palavras. Pense em como a confiança e o compromisso se refletiam na sua família quando você era criança. Faça uma lista dos pequenos gestos que você e seu par fazem para demonstrar compromisso um com o outro.

SUGESTÕES
⋙ Um dos dois pode coordenar esse encontro. Vocês podem decidir quem ficará responsável pelos preparativos do evento ou então tirar par ou ímpar. Você pode fazer do local uma surpresa, pedindo que seu par "confie" em você. Se quiser ir ainda mais longe, pode vendá-lo até chegarem lá.

LOCAL
⋙ Encontre um local elevado com uma excelente vista. Pode ser um prédio alto, uma ponte, uma colina... O ideal é que haja um banco ou algo confortável para se sentarem e fazerem as perguntas abertas um ao outro. Se possível, marque esse primeiro encontro em algum lugar significativo para sua história de amor. Ben e Leah, por exemplo, poderiam ter escolhido os degraus onde se conheceram. Que seja um lugar bonito e

agradável. Onde quer que decida ter esse primeiro encontro, é imprescindível que o lugar tenha privacidade e tranquilidade para que vocês tenham uma conversa honesta. É um assunto delicado e vocês precisam se sentir seguros para expor seus pensamentos abertamente.

ENCONTRO EM CASA: Se você decidiu ficar em casa, aqui vai uma ideia: vocês podem se revezar com uma venda nos olhos enquanto um guia o outro pelos cômodos. É uma ótima oportunidade para praticar a clareza na comunicação ("Você está prestes a passar por uma porta", "Dê um passo para cá") e também para praticar o cuidado com a pessoa que está sendo guiada e a confiança em quem está orientando.

O QUE LEVAR

» Você deve ir com a mente aberta e estar preparado para tratar de quaisquer pensamentos que tenham surgido sobre confiança e compromisso enquanto lia este capítulo e fazia o exercício.

Leia também o guia de solução de problemas, a seguir, antes de ter esta conversa. O tema da confiança pode acionar muitos gatilhos emocionais, e existem algumas regras básicas que devem ser estabelecidas antes de começarmos.

SOLUÇÃO DE PROBLEMAS

» Mantenha a mente aberta para o seu par.

» Evite transformar a conversa em culpabilizações ou acusações sobre incidentes passados que abalaram a confiança entre os dois. Não minimize os medos.

» Pergunte sobre a importância que o seu par dá à confiança e ao compromisso.

- Seja honesto sobre suas necessidades.
- Evite tentar induzir a outra pessoa a pensar da mesma forma que você em matéria de confiança, lealdade e compromisso.
- Veja as diferenças entre vocês como oportunidades para aprenderem mais um sobre o outro e para criarem um sistema de valores compartilhados em relação a confiança e compromisso.
- Evite criticar ou fazer juízos de valor.

PERGUNTAS ABERTAS PARA FAZER NO ENCONTRO

Façam as seguintes perguntas um ao outro (sinta-se à vontade para formulá-las da maneira que for melhor e mais natural para você e seu relacionamento). Todos os casais que participaram da pesquisa e foram a este encontro optaram por fazer as perguntas a seguir, mas sinta-se à vontade para acrescentar as suas:

- Como seus pais demonstravam compromisso um com o outro? E como eles demonstravam falta de compromisso? Na sua opinião, como esses aspectos da sua história familiar se refletem no nosso relacionamento?
- O que significa confiança para você?
- Você pode mencionar um momento em que achou que não confiava em mim e o que eu poderia ter feito para consertar a situação?
- O que você precisa que eu faça para poder confiar mais ainda em mim?
- O que eu devo fazer para demonstrar quanto estou comprometido com este relacionamento?
- Em que áreas você acha que precisamos trabalhar mais para aprofundar a confiança entre nós?

» Quais são nossas semelhanças e diferenças no que diz respeito a confiança e compromisso? Como podemos administrar essas diferenças?

PARA AFIRMAR NOSSO FUTURO JUNTOS

Leiam a seguinte afirmação em voz alta, um para o outro, mantendo contato visual.

»» ««

Eu me comprometo a escolher você todos os dias e a demonstrar para você que nosso relacionamento é minha prioridade. Também me comprometo a ter mais sete encontros e conversas.

ENCONTRO
»» 2 ««

Concordar em discordar

COMO LIDAR
COM CONFLITOS

Wesley e Marie viveram juntos durante dois anos antes de decidirem se casar. Quando resolveram conversar sobre conflitos, estavam no começo do segundo ano de casados e gostavam de dizer que continuavam na fase da lua de mel. "Nunca discutimos. Nunca brigamos. Somos melhores amigos. Não consigo pensar num único motivo que levaria a gente a brigar", disse Marie. Nesse encontro, os dois aprofundaram sua percepção sobre conflitos.

Esse estado de paz matrimonial que se confunde com o "júbilo" descrito por Marie é, na verdade, apenas o sossego que advém de se evitar conflito. Embates acontecem. E um dos maiores mitos do casamento é dizer que um relacionamento "bom" é aquele em que nunca acontecem brigas nem conversas sobre questões difíceis e desconfortáveis. Numa união, não são apenas duas pessoas que se juntam, mas também hábitos, personalidades, crenças e manias. Tudo isso pode ser bem trepidante, e está destinado a encontrar decepções e fracasso quem começa um relacionamento duradouro achando que o maior sinal de sucesso é a ausência de atrito.

Havia, porém, um conflito que o casal parecia ter dificuldade de resolver. Wesley deixava a televisão ligada por um tempo enquanto adormecia. Marie não gostava disso. Preferia o silêncio e conseguia apagar depressa com a televisão desligada. No entanto, acabava passando noite após noite acordada até que Wesley dormisse para então desligar a TV e pegar no sono.

Marie havia tocado no assunto, mas nunca tinha mencionado quanto aquilo a incomodava. Até que uma mudança no trabalho fez com que ela precisasse acordar mais cedo, e com isso Marie foi ficando cada vez mais irritada, passando a considerar egoísta o comportamento de Wesley. Ficava acordada à noite pensando que, mesmo tendo pagado metade da hipoteca, mesmo tendo comprado aquela cama nova com o marido, ainda se sentia uma espécie de visitante no mundo dele. A raiva aumentou e seu ressentimento foi se acumulando. Mesmo assim, ela nada disse. Com o tempo, Marie começou a se perguntar se casar-se com Wesley tinha sido mesmo uma decisão acertada. Estaria destinada a ser aquela que faz sacrifícios e abre mão das coisas enquanto ele sempre obtinha o que desejava? Seriam assim os sessenta anos seguintes de sua vida?

Um dos maiores mitos do casamento é dizer que um relacionamento "bom" é aquele em que nunca acontecem brigas.

Wesley começou a achar Marie cada vez mais mal-humorada e impaciente. Uma das razões que o levara a se casar com ela era a gentileza. Marie era a pessoa mais gentil que ele já conhecera, sempre o cumprimentava com um sorriso. Ele adorava fazê-la rir, mas seus gracejos vinham sendo recebidos com silêncio. Ele não tinha ideia do que a incomodava e, quando perguntava se havia algo de errado, ela respondia que estava tudo bem. Wesley se questionava se havia cometido um erro. Ele se perguntava quem era aquela mulher de rosto impassível diante dele e para onde tinha ido a mulher bonita e alegre com quem se casara.

Wesley acabou confrontando Marie, exigindo saber o que estava errado e por que ela andava o tratando tão mal. Marie ficou chocada. Na sua cabeça, era ele quem a tratava mal. Ele era o egoísta. Marie finalmente contou o que a vinha incomodando por tanto tempo. Depois começou a chorar e disse: "Acho que chegamos ao fim."

Wesley ficou pasmo. Contou que, na infância, vivia apenas com a mãe, que tinha dois empregos. Passava a maior parte do tempo sozinho, e a televisão era tudo o que ele tinha. "Certa vez arrombaram nossa casa e roubaram a televisão. Fiquei arrasado. Era meu único conforto à noite e, depois que a levaram, eu não tinha mais nada. Foi horrível. Uma solidão terrível."

Marie nunca tinha ouvido essa história, e seu coração se partiu pelo garotinho que o marido havia sido no passado.

"Mas por que você acha que acabou entre nós?", perguntou Wesley. "É apenas uma televisão. Podemos dar um jeito."

Os dois descobriram que Marie nunca brigava com Wesley porque tinha medo de qualquer conflito. Quando pequena, nunca ouvia brigas dos pais, mas sempre que as coisas ficavam difíceis sua mãe pegava Marie, o irmão e a irmã e saía de casa para se hospedar num hotel. Não importava se era madrugada ou se tinham aula no dia seguinte, a mãe botava todos depressa no carro e dirigia para o hotel mais próximo, onde agia como se estivessem de férias. Eles nadavam na piscina, pediam serviço de quarto e voltavam para casa depois de alguns dias sem que ninguém jamais falasse sobre o motivo de terem saído ou de terem retornado. A única vez que Marie ouviu os pais gritando foi pouco antes do anúncio do divórcio. Mais tarde, quando Marie estava no ensino médio, sua mãe estava solteira de novo e terminava os relacionamentos mudando o número de telefone. Marie não tinha percebido, mas internalizara a ideia de que todo conflito deveria ser evitado e que uma briga significava o fim.

Compartilhar essas histórias foi um divisor de águas para Wesley e Marie. Para ela, ter um desentendimento e ser capaz de falar sobre o assunto era quase um milagre. O relacionamento não terminou, muito pelo contrário: ela se sentiu mais próxima do marido ao dividirem suas histórias de infância. "Nossa relação mudou de patamar. Parece mais real", diz Marie. "Quase desejo ter conflitos agora, porque sempre parecemos sair deles entendendo algo novo sobre o outro, e isso nos aproxima cada vez mais. Não procuro brigas, mas também não fujo mais delas. Eu amo a sensação de atravessarmos um momento difícil juntos. É disso que se trata um relacionamento. Mesmo quando discordamos, continuamos a jogar no mesmo time, tentando encontrar um modo de nos entender e resolver a questão." Quanto ao problema da TV – agora eles têm um controle remoto com um timer que desliga o aparelho após vinte minutos.

Para a maioria dos casais como Wesley e Marie, esse encontro foi uma oportunidade de examinar suas diferenças e trabalhar para entendê-las e aceitá-las. Ouvir as histórias de cada um é um meio poderoso de navegar pelas divergências.

GERENCIAMENTO DE CONFLITOS

Pode parecer estranho ter uma conversa sobre conflito, mas o melhor momento para abordar o assunto não é durante uma discussão acalorada. É importante saber que a discordância no relacionamento é algo natural e serve a um propósito. E qual seria esse propósito? As desavenças têm algum objetivo? Muitas pessoas pensam que conflitos são inúteis e prejudiciais. Não é verdade. Eles são necessários porque é inevitável que esbarremos em pedras no caminho quando amamos alguém, e ao avistarmos essas pedras precisamos desacelerar e prosseguir com cuidado.

Compreensão mútua: esse é o objetivo mais saudável e produtivo de todos os conflitos.

Talvez você se surpreenda. O objetivo do conflito não é vencer ou convencer o outro de que você está certo, nem mesmo tornarem-se iguais. Para chegarmos a um acordo, temos que entender quais são as necessidades fundamentais do outro em relação àquele assunto e quais são as zonas de flexibilidade. No entanto, a meta não é se tornar idêntico ao seu par, e sim aprofundar o entendimento mútuo.

Como Marie e Wesley descobriram, o gerenciamento de conflitos nos ajuda a amarmos melhor um ao outro ao longo do tempo, a nos entendermos num nível mais profundo e a renovar nossos compromissos. Ninguém é um comunicador perfeito, nem mesmo os terapeutas de casal ou aqueles que estão casados há décadas.

Outra notícia importante: *nossa pesquisa mostrou que a maioria dos conflitos relacionais não é solucionável.* Cada relacionamento vem com um conjunto de problemas porque cada pessoa é única e diferente das outras, então sempre haverá algum problema, não importa quem esteja ao seu lado. Repetidas vezes ouvimos falar de casais que se divorciam por causa de seus conflitos, casam-se de novo e descobrem que têm os mesmos atritos ou outros diferentes com o novo par.

Muitos de nossos problemas viajam conosco, reencarnando em cada relacionamento, até que aprendemos a reconhecê-los pelo que são e a gerenciá-los de modo adequado. Uma grande fonte de problemas é pensar que todos eles têm solução. Nossa pesquisa mostrou que em 69% das vezes, quando os casais falam sobre algo que gera discussão constante entre os dois, trata-se do que chamamos de "problema perpétuo". É algo que não será resolvido. Os relacionamentos funcionam quando você entende que existe um conjunto de problemas perpétuos com os quais pode aprender a conviver. E a grande dádiva é que entre esses conflitos, entre os problemas perpétuos que parecem não ter solução, encontram-se as maiores oportunidades de crescimento e intimidade. Quando você descobre o que está por trás desses problemas, descobre algo que está no cerne do sistema de crenças ou da personalidade do seu par. Obviamente existem conflitos intransponíveis, como mencionamos na introdução (querer filhos quando o outro não quer; recusar-se a tratar um problema de alcoolismo ou outra dependência química; violência doméstica), mas, na maioria das vezes, provavelmente se trata de problemas perpétuos – isto é, que não poderão nunca ser resolvidos – ou de problemas solucionáveis.

Entre os problemas perpétuos que parecem não ter solução encontram-se as maiores oportunidades de crescimento e intimidade.

PROBLEMAS SOLUCIONÁVEIS: São desavenças circunstanciais. Vocês discutem sobre as tarefas domésticas, sobre quem pega as crianças na escola às sextas-feiras ou para onde ir nas férias. O conflito é sobre o tópico, e não há um significado mais profundo por trás disso. Ele deixa o assento do vaso sanitário levantado; ela detesta se sentar na cerâmica gelada quando isso acontece. É um aborrecimento, mas não há nenhum significado mais profundo para ele levantar o assento e ela querer que fique abaixado. Com problemas solucionáveis, pode-se encontrar uma saída. Vocês podem dividir o trabalho doméstico, podem se revezar pegando as crianças na escola, podem intercalar quem vai escolher o local das férias, etc. Solucionável não significa sem trabalho. É preciso esforço e ação para manter os acordos mútuos.

PROBLEMAS PERPÉTUOS: São conflitos centrados em diferenças fundamentais de personalidade ou estilo de vida. São os problemas recorrentes. Podem ser diferenças de necessidades básicas, pontualidade, organização, quantidade de tempo juntos ou separados, diferenças na forma de celebrar o Natal ou de se relacionar com os sogros. Até a maneira como cada um escolhe se exercitar pode ser uma diferença fundamental, se ele gosta de dar voltas leves pela vizinhança enquanto ela considera imprescindível frequentar uma academia para ser saudável. Você não pode "resolver" sua personalidade ou as diferenças de estilo de vida, nem deve tentar. Reconhecer um problema perpétuo pelo que ele é implica aceitar e valorizar as diferenças de cada um. No cerne do gerenciamento de conflitos, especialmente quando se trata de um problema perpétuo, está a aceitação da individualidade da outra pessoa. Quando você aceita o que não pode mudar, você aceita o outro. Aceite seu par por quem ele é, e ele fará o mesmo por você. Celebre e aprenda com as diferenças.

UMA PALAVRA SOBRE IMPASSES

Ninguém gosta de impasses, daquela sensação de estar preso e de não chegar a lugar nenhum. Isso pode acontecer quando se acumulam conflitos por causa de um problema perpétuo. Você sabe que seu problema perpétuo chegou a um impasse quando tem a mesma conversa e discussão repetidas vezes, sem progresso. O confronto deixa um dos dois ou ambos com sentimentos de frustração, mágoa ou rejeição. Você acaba vendo o outro como inimigo. Marie começou a depreciar Wesley mentalmente. O fato de ele dormir com a televisão ligada tornou-se um símbolo de seu extremo egoísmo em todas as áreas. Se você e seu par andam cada vez mais polarizados, radicais e intransigentes, então se encontram num impasse. Com o passar do tempo, isso vai criar uma distância emocional entre vocês dois. É essa distância que aniquila os relacionamentos, e não a raiva, as discussões ou os conflitos em geral. Falaremos mais sobre esses impasses no último capítulo, quando tratarmos da realização dos sonhos de cada um. Porque dentro de cada impasse há um desejo e um sonho no modo como cada um se posiciona sobre a questão, um sonho enterrado sob a superfície pronto para ser descoberto. O conflito pode aproximá-los, se você optar por abordá-lo como uma forma de conhecer mais a pessoa amada. Ao realmente buscar entender a posição do seu par, você pode criar uma intimidade mais profunda e uma ligação mais forte em qualquer discordância. Quando o outro expressa raiva, em vez de assumir uma postura defensiva e contra-atacar, tente perguntar a essa pessoa ou a si mesmo do que ela precisa, qual é o desejo que ainda não foi realizado. Durante qualquer discussão, se você puder comunicar que ama e aceita o seu par mesmo discordando profundamente dele, seu relacionamento e o casamento podem não apenas sobreviver, mas também se beneficiar. Quem está casado há décadas aprendeu a ver as deficiências, as peculiaridades e as diferenças de personalidade do cônjuge como algo que é mais divertido do que frustrante. Quando de fato amamos alguém, amamos por inteiro e aceitamos o outro exatamente como ele é.

Exercício
TODO MUNDO TEM PROBLEMAS

Criamos uma lista de 25 tópicos que poderiam representar diferenças fundamentais de personalidade ou de estilo de vida com potencial para criar conflitos. As necessidades de estilo de vida são fundamentais para sua identidade e para quem você é como pessoa.

Este exercício é uma oportunidade para você e seu par se conhecerem de novas maneiras e estimularem a curiosidade sobre possíveis fontes de conflito durante o relacionamento. Dê uma olhada em cada item. Escolha de três a cinco que mais lhe chamem a atenção. Escreva como se sente sobre cada uma das questões selecionadas. Você sente que esse é um conflito significativo no momento? Você acha que isso será uma fonte de conflito no futuro? Você vai conversar sobre esse assunto em seu encontro, então reflita um pouco a respeito. Alguns casais optaram por explorar todos os tópicos e escreveram como se sentiam em relação a cada questão. Faça o que achar mais razoável.

Lembre-se de que, em última instância, você busca compreender o mundo interior da pessoa amada e criar um significado compartilhado. Se a pontualidade é importante para o outro, e você acha que ser pontual é chegar com menos de uma hora de atraso, discuta por que o tema é importante ou não para cada um. Geralmente há uma história por trás de cada emoção forte. Estejam prontos para contar suas histórias e para buscar uma compreensão que os ajude a gerenciar os conflitos com habilidade e compaixão.

Ao pensar sobre suas necessidades, seja positivo – enfoque o que você *precisa* em vez daquilo que você *não precisa* ou *não quer*. Além disso, especifique ao máximo essa necessidade positiva para que ela sirva como uma receita para o sucesso. Por exemplo: "Eu gostaria que você me respeitasse" não é tão bom quanto "Eu gostaria que você desligasse os aparelhos eletrônicos durante o jantar para que a gente possa conversar".

EXPLORE E ESTEJA PRONTO PARA CONVERSAR

» Quais são as nossas semelhanças e diferenças?

» Como podemos conviver e aceitar as diferenças entre nós?

» Existem diferenças que não podemos aceitar?

1. **Diferenças quanto a arrumação e organização.** Um de vocês pode gostar de manter as coisas sempre arrumadas, enquanto o outro é mais desorganizado e não se incomoda com um pouco de bagunça.

2. **Diferenças quanto à pontualidade.** Um chega sempre na hora marcada ou com antecedência, enquanto o outro não liga muito para horários e costuma se atrasar.

3. **Diferenças quanto à realização das tarefas e à forma de cuidar das coisas.** Um é multitarefas e consegue fazer muitas coisas ao mesmo tempo, enquanto o outro prefere se concentrar em uma coisa de cada vez.

4. **Diferenças de emotividade.** Um expressa muito as emoções e o outro, nem tanto. Talvez um valorize mais a exploração das emoções do que o outro, que acredita mais em atos do que na introspecção dos sentimentos.

5. **Diferenças quanto ao desejo de ter tempo juntos e separados.** Um prefere ficar mais tempo sozinho, enquanto o outro quer passar mais tempo junto. Isso reflete diferenças básicas nos desejos de autonomia e interdependência.

6   **Diferenças quanto à frequência ideal de sexo.** Um quer fazer sexo mais vezes do que o outro.

7   **Diferenças quanto à necessidade de conversar sobre a vida sexual.** Um quer falar sobre a vida sexual e melhorá-la com o tempo, enquanto o outro prefere manter a espontaneidade nessa área, sem esquadrinhá-la.

8   **Diferenças quanto às finanças.** Um é mais conservador do ponto de vista financeiro e gosta de planejamentos, enquanto o outro quer gastar mais e acredita que vocês devem viver o momento.

9   **Diferenças quanto a embarcar em aventuras.** Um é aventureiro e está disposto a correr riscos explorando o desconhecido, enquanto o outro é mais cauteloso e menos avesso a riscos, querendo que qualquer aventura seja combinada com antecedência para seguir um plano previsível.

10 **Diferenças quanto à convivência com parentes.** Um quer se manter mais independente em relação aos familiares, enquanto o outro quer mais vínculos e proximidade.

11 **Diferenças na forma de abordar as tarefas domésticas e o cuidado com os filhos.** Um quer divisão igualitária do trabalho, enquanto o outro não concorda com esse princípio ou não o considera factível.

12 **Diferenças na forma de abordar as discordâncias.** Um quer ser capaz de colocar as cartas na mesa e expressar abertamente suas emoções, enquanto o outro pode exigir uma abordagem mais lógica, racional e tranquila em relação ao conflito, sem muita emotividade.

13 **Diferenças na forma de expressar a raiva.** Um se sente confortável ao expressar raiva ou ser alvo dela, quer ter liberdade para expressá-la e tende a se enfurecer com facilidade. O outro considera a raiva algo potencialmente destrutivo, desrespeitoso, e quer que ela seja eliminada das

interações. Pode também estar propenso a se sentir atingido pela raiva ou mesmo guardar rancor.

14 **Diferenças na forma de criar os filhos e impor disciplina.** Um tende a ser mais rigoroso com os filhos e acredita que é essencial que eles sejam respeitosos, enquanto o outro enfatiza a empatia e a compreensão, e acha que as crianças devem ter liberdade e estar emocionalmente próximas aos pais.

15 **Diferenças na forma de lidar com a tristeza.** Um prefere ignorar momentos de tristeza ou desespero, resolver problemas e "seguir a vida" usando a ação, enquanto o outro quer falar sobre a tristeza e ser ouvido com empatia.

16 **Diferenças quanto às atividades preferidas.** Um gosta de ser muito ativo, enquanto o outro prefere formas de recreação mais calmas e passivas.

17 **Diferenças de socialização.** Um é mais extrovertido e gregário e se sente estimulado por estar rodeado de pessoas, enquanto o outro acha que socializar é um esforço e se sente melhor quando está sozinho.

18 **Diferenças de influência/poder.** Um gosta de ser mais dominante em qualquer tomada de decisão, enquanto o outro prefere igualdade de poder.

19 **Diferenças de ambição e de importância dada ao trabalho.** Um é bem mais ambicioso e prioriza o trabalho e o sucesso, enquanto o outro se concentra mais na qualidade da vida familiar e na diversão do casal.

20 **Diferenças quanto a religião e espiritualidade.** Um cultiva valores religiosos ou atividades espirituais mais do que o outro.

21 **Diferenças quanto a drogas e álcool.** Um é muito mais tolerante do que o outro em relação ao uso recreativo de drogas e álcool.

22 Diferenças de independência. Um sente mais necessidade de ser independente do que o outro.

23 Diferenças de empolgação. Um sente mais necessidade de uma vida emocionante ou aventureira do que o outro.

24 Diferenças de fidelidade. Há grandes diferenças na forma como vocês encaram a lealdade sexual ou romântica e como têm agido em relação ao tema.

25 Diferenças de diversão. Um tende a ser sério e não pensa muito sobre o conceito de "diversão", enquanto o outro é mais brincalhão e descontraído.

BRIGAS E RECONCILIAÇÕES

Entre todos os casais que fizeram o exercício a seguir, que participaram do encontro e trocaram perguntas abertas, apenas um brigou. É isso mesmo: falar sobre conflitos gerou conflito, mas para apenas um dos casais. Se isso acontecer com você nesta ocasião (ou em qualquer outra), não tem problema. Brigas vão acontecer – é algo inevitável e saudável –, mas nossa pesquisa mostra que casais genuinamente felizes no casamento ou no relacionamento lidam com conflitos de forma gentil e positiva. Eles ouvem a perspectiva um do outro, buscam compreendê-la e trabalham juntos para encontrar uma solução que funcione para os dois.

É fácil ler essas palavras num livro, mas às vezes dizemos ou fazemos coisas que ferem quem está ao nosso lado. Esquecemos a busca pela compreensão e fazemos um discurso furioso de vinte minutos explicando por que estamos certos e a outra pessoa está errada. Ficamos na defensiva, criticamos, desdenhamos e nos afastamos no exato momento em que deveríamos nos aproximar. Chamamos esses momentos de *incidentes lamentáveis* – um eufemismo para brigas. Casais "mestres" sabem como minimizar o dano provocado por palavras ditas no calor de uma discussão. Na pesquisa de John e Julie, eles dividiram os casais entre "mestres" e "desastres". Os mestres ficavam juntos e felizes. Os desastres se separavam ou continuavam infelizes juntos. Quando havia um conflito, os mestres sempre sabiam como reparar o dano ocorrido durante um incidente lamentável.

Nós nos afastamos no exato momento em que deveríamos nos aproximar.

A seguir apresentamos um processo de reparação para ser aplicado quando incidentes lamentáveis acontecerem. Isso deve fazer parte do seu sistema de gerenciamento de conflitos. Processar uma briga significa falar sobre o que aconteceu sem voltar ao ringue com luvas de boxe. É a recapitulação da luta, quando se descobre como melhorar essa questão específica no futuro. O objetivo não é voltar a defender sua realidade ou provar que você está certo e o outro está errado; é entender como a outra pessoa encara a realidade. Os dois estão certos em seus próprios sentimentos e percepções, e você é capaz de ver a situação pelos olhos da pessoa amada.

PASSO 1: Um de cada vez, vocês falam sobre o que estavam **sentindo** durante a briga: você se sentia triste, zangado, preocupado, solitário, envergonhado, desvalorizado, na defensiva ou com quaisquer outras emoções e sentimentos? Talvez você estivesse se sentindo fora de controle ou confuso?

PASSO 2: Cada um deve falar sobre como viu a situação e sua perspectiva sobre o que realmente aconteceu na discussão.

Tenha em mente que pode haver duas realidades muito diferentes do que aconteceu, ambas corretas. Evite disputar quem se lembra melhor do incidente e do que foi dito. **Validem** a realidade um do outro. Validar não significa concordar. Significa ser capaz de dizer: "Do seu ponto de vista, faz sentido que você tenha esses sentimentos e necessidades. Entendo." Se achar que pode ser útil, reveja o capítulo A Arte da Escuta, no início do livro. Comunique ao seu par que você entende um pouco da perspectiva dele. Fale apenas sobre os sentimentos e necessidades que você teve. Empregue "eu" nas declarações. Não diga o que o outro fez ou deixou de fazer. Tanto quanto possível, evite apontar o dedo e recriminar a outra pessoa. "Eu ouvi você dizer..." é melhor do que "Você disse...". A primeira frase deixa claro que essa é a sua perspectiva, não necessariamente os fatos. Não há percepção imaculada.

PASSO 3: Gatilhos. Em alguns incidentes lamentáveis (não em todos) há elementos que podem inflamar o conflito. Chamamos isso de "gatilhos". São *vulnerabilidades antigas e duradouras* que ocorreram *antes* do início do relacionamento e deixaram cicatrizes emocionais que podem ser ativadas. Quando você sentir que um gatilho foi acionado, tente se lembrar de algum momento do seu passado, inclusive da infância, em que você teve sentimentos semelhantes. Os gatilhos nunca desaparecem, eles perduram.

Instruções. Se sentir um gatilho ser acionado, conte ao seu par o que aconteceu no passado para que ele possa entender suas sensibilidades e por que isso desperta sentimentos em você. Se o seu par perceber algum gatilho ser acionado, expresse compreensão e empatia quando ele descrever o incidente e sua conexão com o passado. Veja a seguir alguns exemplos de gatilhos emocionais que podem ajudar você a conectar um sentimento a uma lembrança:

- Quando me senti julgado.
- Quando me senti excluído.
- Quando me senti humilhado e desrespeitado.
- Quando me senti abandonado.
- Quando me senti impotente.
- Quando sofri bullying.
- Quando me senti sozinho.
- Quando me senti fora de controle.
- Quando me senti menosprezado.
- Quando me senti muito inseguro.
- Quando fui atacado e agredido.

PASSO 4: Assuma a responsabilidade por sua parte na briga. Talvez você ande muito estressado ou preocupado, ou não tenha reservado tempo para o casal, ou talvez não tenha sido um bom ouvinte. De que modo você pode admitir que contribuiu para a discussão? É importante evitar a culpa. Descobrimos em nossa pesquisa que assumir a responsabilidade – mesmo que por uma pequena parte do problema na comunicação – é uma oportunidade para fazer grandes reparos. É altamente eficaz.

PASSO 5: Discuta como vocês dois podem **fazer diferente** da próxima vez. Como o seu par pode reagir melhor se esse tipo de incidente acontecer de novo? Como você pode melhorar? Criem um plano juntos para minimizar sentimentos de mágoa e evitar outro incidente no futuro.

Namoro a jato
RESUMO DO CAPÍTULO
Conflitos acontecem em todos os relacionamentos, e é um mito achar que um relacionamento feliz é aquele em que os dois se dão bem o tempo todo.

- O conflito é uma oportunidade de conhecer melhor a pessoa amada e de desenvolver uma intimidade mais profunda enquanto se conversa e se contornam as diferenças.

- Existem dois tipos de conflito:
    - Problemas solucionáveis são circunstanciais e envolvem uma questão específica. Em geral não há um significado mais profundo no desentendimento em si ou na opinião de cada um.
    - Problemas perpétuos são diferenças fundamentais de personalidade ou estilo de vida. Todos os casais têm problemas perpétuos, que respondem por 69% dos conflitos. Eles podem se transformar em impasses, e um dos indícios de que isso está acontecendo é quando alguém se sente criticado, rejeitado ou não aceito pelo próprio par.

- Aborde as diferenças entre vocês com interesse, e não com vontade de corrigi-las. Tenha um desejo genuíno de compreender a história por trás das questões.

O encontro:
COMO LIDAR COM CONFLITOS

TEMA DA CONVERSA
➢ Como lidamos com o conflito? Quais são nossas semelhanças e diferenças? Como negociamos e aceitamos as diferenças entre nós?

PREPARAÇÃO
➢ Examine os itens e as respostas do exercício sobre as diferenças. Reflita sobre o que leu neste capítulo e sobre quaisquer ideias que o conteúdo tenha despertado em você. Pense em como vem lidando com o conflito até agora e como gostaria de lidar com isso no futuro.

LOCAL
➢ Se foi você quem planejou o encontro anterior, deixe seu parceiro encarregado de cuidar deste. Escolha um lugar que favoreça uma conversa reservada. Encontre um local que seja tranquilo para os dois ou onde já tenham se divertido muito.

SUGESTÕES
➢ Um piquenique no seu parque favorito, na praia ou mesmo no seu quintal. Se a conversa acontecer num restaurante, certifique-se de ter bastante tempo e privacidade. Talvez seja melhor fazer o encontro durante a tarde, e não à noite, para que ninguém esteja muito cansado ou com pouca energia.

ENCONTRO EM CASA: Você também pode optar por ter este encontro enquanto caminham juntos pela vizinhança. Mesmo se a conversa empacar, os dois continuarão em movimento. Mesmo se houver discordâncias, os dois continuarão seguindo na mesma direção. Caminhem de mãos dadas e conversem sobre algo que é ou foi difícil para os dois. Experimente a sensação de segurar a mão da pessoa amada enquanto discute com ela a melhor maneira de gerenciar conflitos.

O QUE LEVAR

» Você deve levar as diferenças que selecionou no exercício e estar preparado para ler ou ouvir abertamente as respostas e discuti-las.

SOLUÇÃO DE PROBLEMAS

» Não transforme o seu par em vilão. Não há vencedor num conflito saudável. Há apenas compreensão, resolução ou aceitação.

» Comunique uma aceitação fundamental da personalidade do outro, independentemente das suas diferenças.

» Não evite conflitos. Evitar o conflito gera distância emocional.

» Não critique nem julgue o outro, nem acredite que o ponto de vista dele está errado e o seu está certo. Ambos têm perspectivas válidas.

» Quando incidentes lamentáveis acontecerem, use os cinco passos para processar a briga e buscar a reconciliação.

» Ame o seu par por quem ele é, do jeito que ele é.

» Reconheça quando um problema é solucionável e quando não é. Nem todo conflito pode ou precisa ser resolvido.

PERGUNTAS ABERTAS PARA FAZER NO ENCONTRO

Discuta cada item que você selecionou no exercício sobre as diferenças. Alguns casais que foram a esse encontro optaram por explorar todos os tópicos. Revezem-se como locutor e ouvinte. Quando for sua vez de ouvir, faça as três perguntas a seguir para qualquer tópico que vocês considerem fonte de conflito ou de diferença.

1. Como foi que essa questão se tornou tão importante para você?
2. Algo que aconteceu no seu passado ou na sua família durante sua infância influenciou sua maneira de lidar com essa questão?
3. Sua opinião sobre esse assunto tem um propósito ou um objetivo mais profundo para você?

OUTRAS PERGUNTAS ABERTAS SOBRE CONFLITOS:

1. Como sua família lidava com os conflitos na sua infância?
2. Como você se sente em relação à raiva? Como ela se expressava na sua família?
3. Como posso oferecer mais apoio quando você estiver com raiva?
4. Como você gostaria de fazer as pazes depois de um desentendimento?
5. O que você sabe sobre mim *agora*, mas não sabia antes deste exercício?

PARA AFIRMAR NOSSO FUTURO JUNTOS

Leiam a seguinte afirmação em voz alta, um para o outro, mantendo contato visual.

»» ««

Eu me comprometo a aceitar você por inteiro e acolher nossas diferenças. Quando tivermos um conflito, vou procurar compreender seus sentimentos e sua perspectiva sobre a questão e vou resolver o problema da melhor forma possível. Quando incidentes lamentáveis acontecerem, vou buscar a reconciliação por meio do processo que já discutimos.

ENCONTRO »3«

Deixa rolar...

SEXO E INTIMIDADE

"Vou confessar, fizemos o encontro sobre sexo antes dos outros!"

Katya e Ethan estão casados há quase um ano e trabalham na mesma empresa de tecnologia. "Em geral, ninguém imagina que o pessoal de engenharia e de ciência da computação tenha uma personalidade particularmente sexy", disse Katya, "mas eu adoro falar sobre sexo! Não há nada que me deixe constrangida. Nesse aspecto, sou parecida com minha avó. Ela é capaz de falar sobre sexo oral com a mesma naturalidade de quem fala sobre o próximo cruzeiro. Sempre achei que isso era totalmente normal até conhecer Ethan."

Seria pouco dizer que Ethan foi criado num lar bem mais conservador. "Quando eu estava com 17 anos, tivemos *a conversa*", disse ele. "Foi superconstrangedor e meu pai basicamente me perguntou se eu sabia como me proteger, só isso. Dava para perceber que ele estava desconfortável, e aquilo me deixou desconfortável também. Só perdi a virgindade aos 21 anos. Meus pais não falavam de sexo. Os únicos sinais de que meus pais tinham alguma espécie de atividade sexual era o fato de que havia eu e meus dois irmãos. Fora isso, seja lá o que faziam no quarto, eles faziam em silêncio. Tínhamos uma casa bem pequena. Acho que nunca os peguei se beijando. Quer dizer, tinha um beijinho ocasional aqui e ali, mas sem nenhuma grande paixão."

Para Katya, o encontro sobre sexo e intimidade era uma forma de os dois se abrirem sobre o que curtiam e não curtiam ao fazer amor.

"Isso nos permitiu ter uma conversa de verdade. As perguntas específicas, escritas por alguém que não nos conhece, serviram de base para que fizéssemos nossas próprias perguntas... e isso permitiu que tivéssemos uma conversa realmente pessoal."

Quando Katya e Ethan começaram a namorar, a química foi imediata.

– Era fora de série – contou Katya. – Fiquei meio atordoada, porque ele era do tipo estudioso, bem nerd, o que acho sexy. Fomos dar uma caminhada e durante o tempo todo eu queria agarrá-lo. A atração era tão forte que eu nem ouvia o que ele dizia... Acho que ele nem sequer imaginava... e aquilo me assustou um pouco, porque eu nunca tinha me sentido assim.

– Eu percebi – disse Ethan. – Você estava praticamente babando em cima de mim.

– Aquela atração, na verdade, me fez esperar mais do que nunca para fazer sexo. Eu sabia que ele era completamente diferente. Esperamos um mês, mas pareceu bem mais porque estávamos juntos quase todos os dias. Eu sabia que ele ia transformar a minha vida... Não era apenas alguém com quem eu estava saindo ou namorando. Ele era o cara. Adorei aquele mês de antecipação. Foi como um longo período de preliminares e quando finalmente transamos... *kabum!* Foi tudo de bom.

O encontro sobre sexo e intimidade era uma forma de os dois se abrirem sobre o que curtiam e não curtiam ao fazer amor.

– Não gosto de pensar em todos os caras com quem ela não quis esperar. Katya tem muito mais experiência sexual do que eu e, no início, isso foi difícil para mim. Sempre me questionei se ela queria que eu fizesse coisas que eu nem imaginava. Não vejo filme pornô. Nunca li um livro sobre sexo. Não é uma área que eu domine. Se sexo fosse como programação, eu me tornaria expert com toda a facilidade, mas não é assim. As mulheres me parecem um tanto misteriosas. Katya permanece um mistério para mim.

– Eu ou minha vagina?

– As duas – brincou Ethan. – Está vendo só? É disso que estou falando. Você é bem mais direta e eu adoro isso, pois me ajuda a ser mais aberto também e a me sentir mais à vontade. Acho que meu pai desmaiaria se você dissesse a palavra *vagina* diante dele. Ele literalmente cairia duro.

– É uma inversão de papéis meio esquisita, porque existe um estereótipo de que as mulheres são virgens inocentes e os homens as guiam no sexo, mas eu adoro que você me deixe ensinar e mostrar do que eu gosto. Eu sei que para você é difícil me dizer o que curte ou não, mas eu quero saber o que mais excita você.

– Tudo isso me excita.

– Eu sei, mas eu queria saber de um modo mais específico. Eu realmente quero falar com você sobre qualquer coisa relativa a sexo. Não faço ideia se você tem alguma fantasia. Adoraria realizar uma fantasia sua. Sério. Qualquer coisa.

– Qualquer coisa?

– Qualquer coisa.

Grace e Mia namoram há pouco mais de um ano e estavam decidindo se iriam morar juntas quando tiveram o encontro sobre sexo e intimidade.

– Nós duas às vezes chegamos a trabalhar setenta horas por semana, então, nas noites que passamos juntas, acabamos dormindo em vez de fazer amor. Mas estamos trabalhando nisso – comentou Grace. – Quer dizer, a gente costumava fazer sexo três ou quatro vezes por semana, mas agora o que mais temos feito é dormir de conchinha.

– Isso é um problema para você? – perguntou Mia.

– Acho que tudo bem, desde que a gente transe pelo menos uma vez por semana. Vou tentar trabalhar apenas cinquenta horas semanais. E para você?

– Se ficarmos duas semanas sem sexo – zombou Mia –, vamos precisar ter uma conversinha.

– Vou chamar você para uma conversa também, se demorar tanto assim.

Grace e Mia estavam à vontade, bem-humoradas, falando sobre as coisas de que gostam e não gostam sexualmente.

– Tentamos diversas posições e ângulos diferentes quando fazemos amor – revelou Mia. – É divertido. Eu gosto quando fazemos devagar, de um jeito sensual, e ficamos realmente conectadas. Isso me faz me sentir amada. Também adoro quando você diz que me ama. Eu me sinto mais amada quando você diz e demonstra isso.

Tanto Mia quanto Grace expressaram preocupação com a frequência de sexo. Grace também mencionou a falta de criatividade:

– Às vezes é como se caíssemos numa velha rotina, e eu gostaria de tentar coisas novas.

– Tipo o quê?

– Tipo combinar ioga e sexo. Ou até mesmo acroioga, com aquelas posições de cabeça para baixo. Quero ver se podemos acrescentar mais espiritualidade à nossa transa. Trabalhar com energia. Isso realmente me interessa.

– Eu não sabia que você queria fazer isso.

– Nós duas somos bem flexíveis, então acho que seria divertido.

E, se cairmos de cara no chão fazendo sexo com acroioga, pelo menos tentamos!

– Com certeza vai render uma boa história!

Matthew e Erin têm um bebê de 9 meses, estão casados há três anos e juntos há nove.

– É difícil encontrar energia ou tempo – diz Erin. – Sinto falta da espontaneidade que tínhamos em relação ao sexo. Adorei aquela vez na praia, durante a viagem de férias.

– Foi bem público, embora estivéssemos na água – disse Matthew. – Não sei se alguém percebeu o que estávamos fazendo, mas isso tornou tudo mais excitante.

– Foi incrível – disse Erin.

– Acho que quero descobrir como posso ajudar você a se sentir mais espontânea – refletiu Matthew. – É o que acontece quando a gente tem filho pequeno... Aqui estou eu tentando planejar nossa espontaneidade. Mas eu sei que você anda cansada e que o bebê exige muito tempo, atenção e energia.

– Então você se sente negligenciado? – perguntou Erin.

– Negligenciado não, porque sei o que resolvemos encarar quando nos tornamos pais e sei que não será assim para sempre. Mas sinto falta de ter mais momentos de intimidade com você.

– Eu também sinto falta. É que, com a amamentação, às vezes não quero que nada nem ninguém me toque, especialmente nos seios. E ainda não estou muito segura com o meu corpo. Mas não quero que percamos essa intimidade. Às vezes é bom ser abraçada, ser reconfortada, sabe? Para mim, esse tem sido o auge da sensualidade. Esperamos tanto para ter esse bebê, e agora ando cansada a maior parte do tempo. Eu deveria ter tido um filho aos 24 anos, e não aos 34!

– Para mim você está linda, e vou tentar dar mais suporte para que você possa descansar mais.

– E transar mais? – zombou Erin.

– Bem – respondeu ele –, de fato não vou reclamar se isso acontecer.

– É bom falar sobre como as coisas mudaram. Às vezes eu me preocupo com isso e me pergunto se você vai me trocar por uma mulher mais jovem que não fica cansada o tempo todo e que pode fazer sexo quatro vezes ao dia.

– Sério?

– É, mas parte disso é hormonal.

– Eu posso ficar sem sexo, mas ainda quero me sentir conectado a você como marido, e não apenas como pai. Quero que a gente se beije e flerte um com o outro. Quero que você me diga que me acha sexy e bonitão. Eu nunca trocaria você por uma mulher mais jovem com quem pudesse fazer sexo quatro vezes ao dia. Juro.

– Ela provavelmente seria uma escrota, de todo modo.

– Provavelmente.

Erin pensou por um momento.

– E se a gente simplesmente se comprometesse a fazer o outro se sentir mais amado durante o dia, quando não há pressão para transar? Seria bom para que eu não me sentisse tão preocupada em estar decepcionando você nessa área. Talvez apenas uma mensagem de texto aqui e ali, para que eu me sinta de novo como a Erin da praia, e não uma mamadeira ambulante.

– Posso te mandar mensagens bem picantes – provocou Matthew, rindo.

– Uau! Veja só, já está funcionando.

Para os casais que compartilharam conosco as conversas do encontro sobre sexo e intimidade, o humor era a tônica da discussão. Falar sobre sexo não precisa ser um momento sério, desconfortável ou constrangedor. Trate essa conversa e essa ocasião com leveza e sinceridade. Um casal de noivos que tinha escolhido fazer sexo só depois do casamento riu durante toda a conversa, mas também achou esclarecedor falar sobre o assunto antes de realmente praticar. "Foi divertido. Aplicamos às coisas que já tínhamos feito juntos, sexualmente. Somos virgens, mas não somos monges nem coisa parecida. Rir ao falar sobre sexo torna tudo menos sério e menos estressante. E foi bom para começar a conversa mesmo antes de nos casarmos. A única coisa que a gente não fazia ideia era sobre a frequência de sexo que vamos querer ter. A gente não imagina o que seria normal para nós dois."

ENCONTRANDO O SEU NORMAL

Todo mundo se pergunta o que acontece com outros casais. Com que frequência fazem sexo? Como nossa vida sexual se compara à deles? E se o sexo não for grande coisa para nós? E se escolhermos a abstinência? Se não fizermos sexo com muita frequência, isso significa que estaremos condenados ao fim? E quanto às fantasias e brincadeiras? Sexo oral? Sexo anal? E qual é a frequência "normal" de sexo num relacionamento duradouro?

O que é normal é o que funciona para você e seu par. De acordo com um estudo abrangente da Universidade de Chicago, 80% dos casais fazem sexo algumas vezes por mês ou mais; dentre eles, 32% relatam fazer sexo duas a três vezes por semana e 48%, algumas vezes por mês. É um mito achar que o sexo é ou deve ser profundamente romântico, com velas acesas, música suave e horas de amor sem pressa. Casais de carne e osso podem fazer sexo demorado de vez em quando e ter rapidinhas com mais frequência. Pode haver fantasias e encenações, brinquedos sexuais e até algumas coisas que você nem imaginaria que alguém praticasse.

Normal é o que deixa os dois à vontade, e o normal muda com frequência ao longo do tempo – à medida que chegam os filhos, que envelhecemos, que lidamos com problemas de saúde. Tudo isso faz parte da sexualidade humana. Começar seu relacionamento ou casamento dizendo que haverá sexo todos os dias é uma receita para o fracasso. A vida entra em cena, e nada reflete melhor a presença da vida do que sua sexualidade.

> É um mito achar que o sexo é ou deve ser profundamente romântico.

Todos nós queremos manter um relacionamento apaixonado e conectado, mas também é possível construir ou destruir essa ligação fora do quarto. O mais importante é não deixar que o sexo se torne o último item de uma longa lista de afazeres, a obrigação final, realizada quando estiverem exaustos. Existem maneiras concretas de garantir que você tenha uma ótima vida sexual.

Num estudo com 70 mil pessoas de 24 países, Chrisanna Northrup, Pepper Schwartz e James Witte, em seu livro *The Normal Bar* (O padrão normal), relataram os resultados de sua extensa pesquisa sobre amor e sexo. Casais que têm uma ótima vida sexual:

- » Dizem "eu te amo" para o parceiro todos os dias, e são sinceros nisso.
- » Compram presentes românticos de surpresa um para o outro.
- » Elogiam um ao outro com frequência.

- Tiram férias românticas.
- Fazem massagens nas costas um do outro.
- Beijam-se apaixonadamente sem motivo algum (85% que amam sexo também beijam apaixonadamente).
- Demonstram afeto em público (dar as mãos, trocar carícias e beijos).
- Abraçam-se todos os dias (apenas 6% dos que não abraçam tinham uma ótima vida sexual).
- Têm um encontro romântico uma vez por semana, que pode incluir se arrumar, jantar fora, trocar massagens e transar.
- Fazem do sexo uma prioridade e sentem-se à vontade para conversar sobre o assunto.
- Estão abertos a uma variedade de atividades sexuais.
- Correspondem a propostas de conexão emocional.

Além disso, quanto mais os casais fazem essas coisas, melhor é sua vida sexual. Os países campeões foram Espanha e Itália. Conclusão: sexo bom não é um bicho de sete cabeças. É muito factível, mas é preciso ser capaz de falar sobre o assunto e fazer disso uma prioridade em seu relacionamento.

SEXO DEPOIS DOS FILHOS

Um estudo feito pelo Center on Everyday Lives of Families (Centro de Vida Cotidiana das Famílias), da Universidade da Califórnia em Los Angeles, descobriu que casais que trabalhavam e tinham filhos pequenos tendiam a passar pouquíssimo tempo um com o outro. Assim como Matthew e Erin, esses casais ficavam sozinhos em apenas 10% do tempo numa noite típica.

Normalmente o pai permanecia sozinho num cômodo, enquanto a mãe se encontrava com as crianças em outro. Um pesquisador desse estudo nos disse que os casais que trabalhavam fora conversavam entre si durante cerca de 35 minutos por semana, e a maior parte dessa conversa era sobre tarefas. Por isso, muitos deixam de fazer juntos as coisas românticas que sustentam um relacionamento amoroso. Deixam de se divertir. Deixam de abrir espaço para o bom humor. Deixam de fazer programas românticos. Deixam de embarcar em aventuras juntos. Deixam de fazer todas as coisas que sustentam a paixão e uma vida romântica animada. A vida se torna uma lista penosa e infinita de incumbências.

Quanto mais os casais fazem essas coisas, melhor é sua vida sexual.

Nada disso é necessário, especialmente com a chegada dos filhos. A maior dádiva que um casal pode oferecer às crianças é um relacionamento amoroso que sirva de modelo até a vida adulta. Os filhos se alimentam do amor entre os pais tanto quanto do amor que recebem diretamente.

FALANDO SOBRE SEXO

O objetivo deste encontro é falar sobre sua vida sexual e criar seus rituais de conexão. Para isso, no entanto, você precisa ser capaz de falar sobre o assunto. Pesquisas demonstram que casais que conseguem falar abertamente sobre sexo fazem mais sexo e as mulheres nesses relacionamentos têm mais orgasmos. Falar sobre sexo é uma estratégia vitoriosa para os casais. Mesmo sabendo que basta falar sobre isso para fazer mais sexo (e sexo mais satisfatório), o tema ainda pode ser difícil. Apenas uma minoria consegue falar sobre o assunto de forma aberta e livre. Mas essa é uma habilidade que você pode desenvolver. Ao falar sobre sexo com o seu par, o importante é se concentrar nas coisas de que você gosta e que acha boas. "Eu gosto quando você me toca aqui... É tão bom quando você faz tal coisa." É especialmente importante que as mulheres se sintam à vontade para fazer isso, porque as pesquisas demonstram que os homens precisam de alguma orientação e querem recebê-la. Eles querem dar prazer à parceira, querem satisfazê-la sexualmente e querem saber como.

Outro ponto fundamental para falar sobre o que está funcionando e o que não está funcionando na sua vida sexual é discutir isso fora do quarto. Interromper as coisas em plena ação para oferecer críticas construtivas não vai funcionar para nenhum dos dois. Um casal que conhecemos gosta de fazer o que eles chamam de "resenha do sexo" após o ato. Isso geralmente acontece no dia seguinte, durante o café da manhã, ou mesmo enquanto eles estão fazendo tarefas diárias. "Falamos sobre o que gostamos. O que queremos experimentar na próxima vez. Novos movimentos e coisas que foram surpreendentes. Qualquer coisa mesmo. A resenha do sexo é uma maneira de manter a sensualidade, mesmo quando não estamos fazendo nada sensual."

Esse casal usou muito humor para discutir o que estava funcionando bem para cada um deles em sua vida sexual. Essas discussões sempre foram positivas e nunca houve uma resenha "ruim". Falavam apenas do que gostavam. Todas as conversas neste livro pedem que você seja honesto, aberto e vulnerável com seu par, e isso é desconfortável, mas discutir sexo pode levar essa vulnerabilidade a um nível bem diferente. Muitas vezes pode parecer mais fácil ficar nu fisicamente do que emocionalmente, mas, se quiser construir um relacionamento ou casamento duradouro, você terá que se despir por completo.

A INICIATIVA NO SEXO

Pesquisas indicam que mais de 70% das pessoas (homens e mulheres) usam estratégias indiretas para pedir sexo. Um método direto seria: "Ei, querida, vamos fazer amor?", "Queria fazer sexo agora", ou "Quer transar?". Mas apenas 30% dos casais, casados ou não, usam essa abordagem direta. A maioria das pessoas indica sua vontade com um toque, um abraço ou um beijo de um jeito que se resguarde. Ou seja, dá um beijo ou um abraço, vê qual é a resposta e procede de acordo com essa reação. É um modo de sentir o clima e evitar uma rejeição. Ninguém gosta de ser rejeitado, especialmente quando está empolgado, querendo esquentar as coisas. À medida que os relacionamentos amadurecem, os pedidos de carinho e sexo se tornam mais diretos. E isso é bom, porque há menos chances de haver mal-entendidos e mágoas quando somos diretos e amorosos – e sensuais.

Em geral, existem algumas diferenças entre homens e mulheres quando se trata de pedir sexo. Dizemos "em geral" porque há exceções para todas as regras. Também queremos reconhecer que citamos a pesquisa disponível sobre casais de gays e lésbicas, mas não existe praticamente nenhum estudo sobre casais transgênero, o que limita boa parte de nossas referências a pesquisas sobre casais heterossexuais e cisgênero. Esperamos que isso mude no futuro.

SEXO NA CABEÇA: Os homens pensam mais em sexo do que as mulheres. Entre eles, 54% pensam em sexo todos os dias ou várias vezes ao dia em comparação a 19% das mulheres.

FREQUÊNCIA: Em nossa pesquisa sobre a vida sexual dos casais, descobrimos que, idealmente, os homens querem sexo quatro a cinco vezes por semana, e as mulheres, uma a duas vezes.

FANTASIAS: Os homens têm fantasias sexuais mais explícitas, enquanto as mulheres têm fantasias mais românticas.

MASTURBAÇÃO: Na adolescência, eles se masturbam mais do que elas, e essa diferença continua na idade adulta.

PRÉ-REQUISITOS PARA O SEXO: Os homens em geral gostam de fazer sexo para se sentir emocionalmente conectados, enquanto as mulheres precisam se sentir emocionalmente conectadas para fazer sexo. Quase 90% dos casais que entrevistamos concordaram com essa última frase. Referimo-nos a isso dizendo que as mulheres têm mais pré-requisitos para o sexo do que os homens. Os pré-requisitos das mulheres nem sempre se limitam à proximidade emocional. Às vezes têm relação com exaustão, distração, cansaço ou não se sentir bem consigo mesma ou com o próprio corpo. Curiosamente, os dados mostram que casais formados por dois homens fazem mais sexo do que qualquer outro casal – *duas pessoas* com menos pré-requisitos –, enquanto os casais de lésbicas são os que fazem menos sexo entre todos – *duas pessoas* com mais pré-requisitos. Para as mulheres, o desejo sexual é um termômetro de como a vida em geral está indo. Se ela não estiver descansada, feliz, saudável ou se sentindo apoiada e amada, ela não terá vontade de transar.

DIZER SIM: Apesar de as mulheres terem mais pré-requisitos, elas concordam em fazer sexo tanto quanto os homens. Os psicólogos Sandra Byers e Larry Heinlein pediram que homens e mulheres mantivessem registros de sua vida sexual e descobriram que ambos diziam sim ao sexo em cerca de 75% das vezes. Então, independentemente de quem tomar a iniciativa – e nesse estudo os homens iniciaram o sexo com mais frequência do que as mulheres –, a porcentagem de resposta positiva será a mesma.

Não é um número incrível, dado o quanto todos nós tememos a rejeição? Você não precisa se preocupar tanto assim!

ACEITAR O NÃO: Se o seu par não quer fazer sexo, o mais importante é não levar isso para o lado pessoal. Entre casais felizes, não há raiva ou ressentimento se um dos dois não estiver no clima. De acordo com nossa pesquisa, cada um de vocês não estará no clima em 25% do tempo em que o outro estiver. Encontrar um jeito de lidar com o "não" é fundamental para o sucesso do relacionamento. Encontre maneiras de ser afetuoso e de estar junto mesmo que o sexo não seja uma opção. Aqueles casais que dominam a aceitação do "não" na verdade acabam fazendo sexo com mais frequência do que aqueles em que um dos dois se chateia quando o outro não está com vontade. Uma ótima maneira de responder ao "não" é perceber que isso não precisa encerrar a conexão. Pode-se dizer: "Obrigado por falar que não está com vontade. O que você quer fazer? Quer dar um passeio? Ver televisão? Ficar agarradinho? Só conversar? Ou prefere passar um tempo sozinho?" É importante não punir o outro por recusar sexo. Não resmungue nem choramingue. É especialmente difícil para os homens ouvirem um "não", porque pesquisas mostram que ser desejado sexualmente é essencial para o senso de masculinidade. Existe até mesmo um estudo mostrando que os homens prefeririam ser demitidos do emprego a serem desprezados sexualmente pelo seu par. Se houver falta de carícias, de flerte e de conexão íntima além do sexo, sua vida sexual sofrerá. Se houver distância emocional ou conflito intenso, como discutimos no capítulo anterior, sua vida sexual sofrerá. Se houver falta de segurança física ou emocional, ou se um de vocês não se sentir apreciado, isso pode afetar tanto a qualidade quanto a quantidade de sua vida sexual. Buscar contato com o mundo interior da pessoa amada ajudará sua vida sexual a florescer.

MANTENDO A PAIXÃO

Há um jeito simples de manter a paixão fluindo em seu relacionamento: beijar. Beijar muito. Beije com frequência. Beije a cada despedida e a cada reencontro. E não estamos falando de um beijinho do tipo que você daria em sua avó; recomendamos um beijo suculento de seis segundos que faria sua avó – ou qualquer outra pessoa por perto – corar. Quando beija apaixonadamente, você desencadeia uma cascata química de hormônios e neurotransmissores que liberam dopamina e aumentam a oxitocina, o que faz com que você se sinta bem. Muito bem. Se você realmente levar a sério o beijo, seus vasos sanguíneos vão se dilatar, seu cérebro vai receber oxigênio extra, suas pupilas vão se dilatar e suas bochechas vão ruborizar. Os lábios são a zona erógena mais exposta do nosso corpo e estão associados a uma parte desproporcionalmente grande do cérebro. O cérebro literalmente se ilumina com um bom beijo, e beijar ativa cinco de doze nervos cranianos. Mais importante, porém, é que, naqueles seis segundos em que vocês se voltam um para o outro, vocês estão se desconectando do mundo exterior e se reconectando ao parceiro e ao mundo que estão criando juntos. Em apenas seis segundos vocês dizem que o outro importa e se escolhem mais uma vez.

Como mencionamos anteriormente, o maior estudo sobre amor do planeta, com 70 mil pessoas de 24 países, constatou que, em todos os ótimos relacionamentos, o beijo apaixonado sem motivo específico é uma chave universal para uma ótima vida sexual. Sheril Kirshenbaum, em seu livro *The Science of Kissing* (A ciência do beijo), cita um estudo alemão com dez anos de duração que descobriu que homens que beijavam a esposa antes de sair para o trabalho viviam cinco anos a mais e ganhavam 20% a mais do que aqueles que "saíam sem um beijo de despedida".

Outra maneira importante de manter a paixão fluindo é expressar carinho, afeição e apreciação mútua verbalmente. Não basta *pensar* coisas positivas sobre o seu par; é preciso *verbalizá-las*. Aprecie os esforços, a aparência, a inteligência, o trabalho, as habilidades, o senso de humor e tudo o mais que você ama e admira na outra pessoa. O Love Lab descobriu que relacionamentos bem-sucedidos têm uma proporção de vinte reações positivas para uma negativa nas interações diárias. Isso significa que, para cada vez que você revira os olhos para algo que seu parceiro diz ou faz, você precisa neutralizar isso com vinte respostas e reações positivas. Quando o outro pede sua atenção, você dá. Você pergunta como foi seu dia enquanto mantém contato visual, fala sobre as coisas que estão estressando o seu par, ouve-o com atenção e se solidariza com suas dificuldades. Sempre que estão juntos, há uma oportunidade de aprender mais um sobre o outro e de se aproximar. Quando estiverem separados, envie mensagens românticas ou flerte por telefone ou e-mail.

Beijar apaixonadamente sem motivo específico
é uma chave universal para uma ótima vida sexual.

Deixe seu par saber que você está pensando nele e sentindo amor. Esses pequenos atos e momentos roubados de conexão – do tipo que acontecem fora do quarto – são exatamente o que manterá viva a paixão muito mais do que qualquer manobra radical que possa ser experimentada entre quatro paredes. Reserve um tempo para namorar, para conhecer a outra pessoa dia após dia e criar seus próprios rituais de conexão. Fazer amor é algo realizado com corações e mentes – esteja o corpo envolvido ou não. E acredite em nós quando dizemos que esses gestos amorosos e rituais românticos farão com que o desejo mútuo aumente ao longo dos anos.

Namoro a jato
RESUMO DO CAPÍTULO

» Rituais românticos e íntimos aumentam a conexão e mantêm um relacionamento feliz e apaixonado.

» Casais que conseguem falar abertamente sobre sexo fazem mais sexo e as mulheres têm mais orgasmos.

» Falar sobre sexo é difícil para a maioria dos casais, mas isso fica mais fácil e confortável com o tempo e a prática.

» A melhor hora para falar sobre sexo não é quando você está fazendo amor, mas fora do quarto. Resenha do sexo!

» Diga ao seu par do que você gosta e o que acha bom, não o que ele está fazendo de errado.

» Oitenta por cento dos casais fazem sexo algumas vezes por mês ou mais. Qualquer frequência que seja confortável para os dois é normal.

» Pessoas casadas fazem mais sexo do que quem está namorando ou morando junto.

» O que mais sufoca o sexo e a paixão num relacionamento são:
- Falta de carícia, de paquera, de conexão íntima além do sexo.
- Lista de pendências a serem resolvidas.
- Distância emocional e conflito intenso.
- Falta de segurança, seja emocional ou física.
- Exaustão e estresse.
- Sentir-se desvalorizado.

O encontro:
SEXO E INTIMIDADE

TEMA DA CONVERSA
» Explorar questões sobre romance, sexo e intimidade física.

PREPARAÇÃO
» Reflita sobre o que você leu neste capítulo e sobre quaisquer ideias que ele tenha despertado em você. Pense em como você quer que o sexo e a paixão sejam em seu relacionamento ou casamento. Que rituais de conexão podem ser criados? Se para você é difícil falar de sexo, esteja preparado para dizer isso e explore o motivo dessa dificuldade. Não há maneira certa ou errada de falar sobre sexo. O primeiro passo é ter coragem suficiente para dizer o que se passa na sua cabeça.

LOCAL
» Neste encontro, vocês terão um jantar à luz de velas. Pode ser em seu restaurante romântico favorito ou num lugar público onde os dois possam ter muita privacidade – como uma enseada na praia ou um canto escondido de um jardim público. O tema é intimidade, sexo e romance. Existe um lugar especialmente romântico e significativo para o casal? Vocês também podem fazer alguma atividade física para despertar o corpo antes do encontro, como uma aula de dança, de ioga ou uma sessão de alongamento juntos.

SUGESTÕES
» Sugerimos tornar a ocasião o mais romântica e sedutora possível. Se forem sair, escolha uma roupa que o outro considere sexy. Na dúvida, pergunte a ele ou a ela. Talvez você até deixe

que o outro escolha suas roupas para o encontro. Durante essa conversa, você vai querer estar em contato com seu corpo. À medida que se concentra em discutir a intimidade física com o seu par, sintonize também sua experiência física. No meio das perguntas, pare e verifique como está seu corpo e o da outra pessoa. Seu coração está batendo depressa? Sua respiração está lenta ou rápida? Você está excitado? Examine cada parte do corpo, dos pés à cabeça.

ENCONTRO EM CASA: Se decidirem ficar em casa, deem um jeito de ficar com todo o espaço para vocês e façam o encontro nus, na cama. Ou nus na sala. Se você tem um belo quintal ou jardim, fiquem no jardim (mas provavelmente vestidos).

O QUE LEVAR

»» Você deve ir com a mente aberta e uma vontade de ser vulnerável com a pessoa amada. Adote uma atitude do tipo "SIM, E..." em vez de "SIM, MAS..." em relação às ideias do outro. *Sim, e...* significa que você aceita tudo o que seu par diz como verdade para ele, e no espírito da improvisação (que é de onde vem o *Sim, e...*) você complementa a conversa e o entendimento entre vocês. *Sim, mas...* nega o que estiver sendo compartilhado. Se falar de sexo não for fácil, você pode escrever seus pensamentos sobre este capítulo com antecedência e lê-los para seu parceiro.

SOLUÇÃO DE PROBLEMAS

»» Seja o mais específico possível sobre o que você aprecia sexualmente – tente não ser vago. Diga do que gosta, e não do que não gosta.

»» Não faça comparações entre as experiências sexuais que você tem com seu par atual e as que você teve com qualquer outra pessoa.

» Se você não souber do que exatamente o seu par está falando ao descrever o sexo, pergunte.

» Use qualquer palavra que seja confortável para você ao falar abertamente sobre anatomia e atividade sexual.

» Tenha a mente aberta para tudo o que excita seu parceiro e não o julgue por quaisquer fantasias que ele possa ter.

» Se seu par não estiver com vontade de fazer sexo no final do encontro, aceite com amor e carinho. Nunca se zangue diante de uma recusa.

PERGUNTAS ABERTAS PARA FAZER NO ENCONTRO

Façam um ao outro as seguintes perguntas:

1. Pense em todas as vezes que fizemos sexo. Quais foram seus momentos favoritos? O que tornou essas ocasiões tão especiais?

2. O que excita você?

3. Como posso esquentar nossa paixão?

4. Como você prefere que eu diga que quero transar?

5. Onde e como você gosta de ser tocado?

6. Qual é sua hora preferida para fazer amor e por quê? Qual é sua posição favorita?

7. Existe algo que você sempre quis experimentar no sexo mas nunca pediu? Com que frequência gostaria de transar?

8. O que posso fazer para melhorar nossa vida sexual?

PARA AFIRMAR NOSSO FUTURO JUNTOS

Leiam a seguinte afirmação em voz alta, um para o outro, mantendo contato visual.

»» ««

Eu me comprometo a criar com você nossos rituais românticos de conexão, avivando a paixão fora do quarto ao expressar meu afeto e meu amor. Eu me comprometo a lhe dar um beijo de seis segundos toda vez que nos despedirmos ou nos reencontrarmos ao longo da próxima semana. Eu me comprometo a discutir, explorar e renovar nossa vida sexual.

ENCONTRO
»» 4 ««

O preço do amor

TRABALHO E
DINHEIRO

Adam e Trevor estão casados há pouco mais de dois anos, mas moram juntos há cinco. Eles estavam ansiosos para o encontro sobre dinheiro porque este é um problema entre os dois desde o início do namoro. Adam gosta de planejar o futuro e poupar para o tempo de vacas magras, e é quase fanático por deixar reservado no mínimo seis meses de aluguel e contas, para emergências. Trevor acredita que qualquer dinheiro extra deve ser despendido em diversão, recreação e experiências que durarão a vida toda. "A vida é curta", disse Trevor. "Você talvez não esteja mais aqui amanhã, então por que esperar? Eu não quero chegar à velhice com um monte de sonhos não realizados. Quero realizá-los agora."

Os conflitos sobre dinheiro pareciam bastante fáceis de resolver nos primeiros dois anos de convivência. Economizavam metade do que Adam queria poupar todo mês e gastavam a outra metade no que Trevor queria – fins de semana emocionantes juntos, experimentando coisas novas como stand-up paddle e tirolesa. Mas, quando Adam recebeu uma pequena herança, a rusga sobre dinheiro se transformou numa grande briga.

– Era um dinheiro extra, fora do orçamento, por isso eu queria colocar tudo na poupança – disse Adam. – Mas Trevor queria viajar. Sempre sonhamos em conhecer o Sudeste Asiático, mas não tínhamos dinheiro para esse tipo de viagem. Especialmente porque nós dois somos freelancers, não se tratava apenas do custo da viagem; havia também o custo das horas perdidas de trabalho.

– Era um presente – afirmou Trevor. – Uma chance de fazer

algo com que sempre sonhamos. Eu não conseguia fazê-lo entender meu ponto de vista. De todo modo, a herança era dele, então eu não queria forçar muito a barra.

– Ele ficou mesmo muito aborrecido – lembrou Adam. – Foi complicado. Eu entendia que aquele era o nosso dinheiro... Dividimos tudo... Mas não conseguia entender por que ele não via isso como uma chance de crescimento, de termos mais segurança em caso de necessidade. Eu também queria viajar, mas não conseguia me imaginar tirando tanto tempo de folga. Parecia arriscado.

Tudo mudou quando eles começaram a explorar o que o dinheiro realmente significava para cada um. O pai de Trevor morrera muito jovem, aos 35 anos.

– Meus pais falavam em nos levar em muitas aventuras, mas essas viagens sempre aconteciam em algum futuro mágico. *Um dia* a gente iria à Disney. *Um dia* a gente iria ao Havaí. E, quando meu pai morreu, todas aquelas aventuras mágicas morreram com ele. *Aquele dia* nunca chegou. Quando estiver no seu leito de morte, você não vai se arrepender das lembranças criadas com as pessoas que ama... Vai se arrepender apenas do que não fez.

Os pais de Adam nunca economizaram.

– Meu pai perdeu o emprego e passamos dificuldades. Ele não tinha nada em que se apoiar... nenhuma poupança. A gente sobreviveu, mas ele ficou arrasado por ter sido incapaz de prover o sustento da família. Minha irmã e eu começamos a trabalhar muito jovens, aos 12 e 14 anos, fazendo tudo o que podíamos por dinheiro apenas para ajudar a pagar o aluguel e conseguir comida. Foi difícil. Ele acabou conseguindo um ótimo trabalho e se saiu muito bem, mas fiquei ressentido com ele desde cedo porque eles não tinham nada guardado para nos ajudar. Agora ele sempre me pergunta se estou economizando e se tenho um plano de emergência caso eu perca o emprego. Ele de fato incutiu esse medo em mim. Essa herança da minha avó significa muito, e quero fazer bom uso dela.

Assim que Adam e Trevor compreenderam suas diferenças em relação ao que o dinheiro realmente representava para eles e como a família de cada um havia lidado com essa questão no passado, o conflito sobre a herança terminou. Embora Adam tenha concordado em fazer a viagem ao Sudeste Asiático, Trevor sugeriu que eles investissem apenas 10% nesse passeio e tentassem encontrar maneiras de viajar com orçamento limitado.

– Assim que ouvi que o pai dele tinha perdido o emprego, entendi qual era o problema. Não tinha relação comigo. Tinha relação com o passado dele, e eu não me sentiria bem se tivéssemos desperdiçado todo o dinheiro numa grande viagem. Gastar só um pouco já está de bom tamanho. Acho que vamos equilibrar melhor essa questão das finanças daqui para a frente.

Não importa se sua conta bancária é robusta ou se você está vivendo de salário em salário: o dinheiro é uma das cinco principais causas de brigas em relacionamentos. Pesquisas com 4.574 casais indicam que, entre todas as questões delicadas, as brigas em torno de finanças eram, sozinhas, o fator mais determinante para o prognóstico de um divórcio.[1] Os outros grandes motivos de briga? Sexo, sogros, uso de álcool ou drogas e criação dos filhos.

Tudo mudou quando eles começaram a explorar o que o dinheiro realmente significava para cada um.

A menos que você tenha um fundo fiduciário ilimitado, não é possível separar o trabalho da conversa sobre dinheiro. Muitos dos casais que foram a esses oito encontros davam duro no emprego ou passavam longas horas estudando. Tempo, dinheiro e trabalho foram questões que permearam muitas das conversas – especialmente nos encontros sobre compromisso, família, diversão e sonhos.

Para a maioria dos casais, as discussões sobre dinheiro tendem a se enquadrar em três categorias: diferentes percepções de desigualdade financeira, diferentes percepções do que significa o bem-estar financeiro e diferentes percepções de como discutem sobre dinheiro. Das três categorias, a última é a que melhor prediz a separação de um casal. Isso significa que os conflitos sobre finanças não precisam ser uma questão de "vida ou morte". O que mais importa é *como* um casal fala sobre seus desacordos financeiros.

Os casais precisam evitar a dicotomia de caracterizar um ao outro com os estereótipos do Gastador e do Poupador.

O Gastador vê a si mesmo como aquele que usa o dinheiro com sabedoria para levar uma vida feliz, com conforto, bem-estar, generosidade, saúde e diversão para toda a família. Ao estereotipar o Gastador, o Poupador usa termos como frívolo, irrefletido, impulsivo, pródigo, esbanjador, extravagante ou hedonista.

O Poupador se vê como prático, conservador, sábio e contido. O Poupador valoriza o dinheiro como realização, segurança, sucesso, poder, despreocupação, um investimento e um legado futuro. Ao estereotipar o Poupador, o Gastador usa termos como avarento, frio, mesquinho, pão-duro, egoísta e um acumulador que não sabe aproveitar a vida.

A verdade é que somos todos poupadores e gastadores em momentos diferentes, e os estereótipos quase nunca nos ajudam a entender o que o dinheiro significa para a pessoa amada ou a lidar com os conflitos financeiros à medida que eles surgem. Seja você casado ou não, o conflito que o dinheiro cria não é sobre números – é sobre o que ele significa. O dinheiro compra prazer e também segurança. Equilibrar os dois pode dar trabalho para qualquer casal e, em última análise, o objetivo é equilibrar a liberdade e o poder representados pelo dinheiro com a segurança e a confiança que ele também oferece.

Cada pessoa entra num relacionamento com sua própria história e seu próprio conjunto de sentimentos ligados ao dinheiro. Todos nós temos um legado – uma história que é passada de geração em geração sobre o que o dinheiro significou para nossa família.

DANDO DURO PARA GARANTIR A GRANA

O trabalho pode consumir nosso tempo, nossa energia e nossa dedicação quase tanto quanto nosso relacionamento. Na verdade, o trabalho muitas vezes acaba formando um "triângulo amoroso" com o casal. Conversar sobre nosso compromisso com o trabalho e com o dinheiro é tão importante quanto discutir o que significa o compromisso na nossa relação amorosa. Nossos vínculos demandam nosso tempo, e a vida profissional também. É um mito achar que, para ter um bom casamento, é preciso escolher entre uma coisa e outra. Não é verdade. O problema acontece quando nossos compromissos com o trabalho e com o par entram em conflito, então é fundamental para o sucesso do relacionamento encontrar um modo de conciliá-los.

É óbvio que, se um ou outro estiver trabalhando sessenta, oitenta ou mesmo cem horas por semana, não restará muito tempo ou energia. É uma questão de matemática. E, como costumam dizer, no leito de morte ninguém declara: "Queria ter passado mais tempo no escritório." Se um de vocês estiver com uma carga horária incrivelmente longa, com estresse excessivo, pressionado pelas demandas da carreira ou disposto a sacrificar a relação em nome da ambição ou do dinheiro, a situação não será sustentável nem favorecerá um casamento feliz. Longas horas de trabalho podem separar as pessoas, deixar pouco tempo para conexão e criar solidão no relacionamento.

John e Julie viajam em lua de mel todos os anos. É um ritual que os dois criaram para celebrar e honrar sua união – uma forma de demonstrar que o vínculo entre eles ainda é importante o suficiente para merecer que se afastem da carreira, da família, dos amigos e das obrigações, como acontecia assim que se casaram. Nem sempre é fácil. Os dois têm consultórios movimentados, que exigem pesquisa e, em alguns anos, livros a serem escritos e prazos a cumprir. Aos 71 anos, John decidiu realizar um sonho profissional: escrever um livro para terapeutas resumindo os quinze anos desde que equações matemáticas e leis da física começaram a ser usadas na compreensão do amor. Era, no mínimo, um projeto ambicioso, e John adorou cada segundo.[2]

Criado num apartamento de quarto e sala com cinco pessoas, John desenvolvera uma capacidade incrível de se concentrar e bloquear o resto do mundo em torno dele durante o trabalho. Quando se dedica ao que faz com tanta intensidade, é possível estar no mesmo aposento com ele e chamar seu nome sem que ele escute. É uma habilidade que o ajudou a sobreviver numa casa cheia durante a juventude, que o ajudou a obter o Ph.D. e permitiu que ele dedicasse horas ao estudo intenso dos micromaneirismos e expressões dos casais no Love Lab. Para aquele livro específico, John estava determinado a cumprir uma missão. E essa missão eclipsava tudo o mais em sua vida – inclusive Julie.

Preparando-se para partir em sua 14ª lua de mel anual, John embalou as equações matemáticas e os livros de física, incluindo pilhas de trabalhos de pesquisa, gráficos e fórmulas complicadas. Tudo isso foi para a mala. Ele estava obcecado. Estava focado. Era o seu trabalho, uma prioridade para ele. Ele já vinha se dedicando intensamente àquele livro desde o ano anterior.

Nos cinco primeiros dias, John trabalhou no livro dezesseis horas por dia. Ele estava no paraíso da matemática. Na quinta noite, eles foram ao seu restaurante italiano favorito, com iluminação suave e um cantor ao piano. John leu o menu e depois perguntou a Julie o que ela queria comer. Ela queria dizer "fettuccine Alfredo", mas começou a chorar. John ficou perplexo. Por que ela estava chorando? E foi aí que Julie desabafou todo o seu sofrimento no último ano, inclusive naqueles cinco dias. A lua de mel deveria ser o momento especial para se reconectarem e celebrarem o amor, mas John a ignorara o tempo todo. Seu desejo de transformar sua pesquisa em livro havia tomado conta de tudo, inclusive da lua de mel.

As lágrimas de Julie tiraram John de seu foco intenso e unidirecional. Sim, ele adorava o trabalho e queria fazer sua carreira avançar com aquele livro para outros terapeutas, mas percebeu naquele momento que precisava equilibrar seu interesse com seu amor por Julie.

Ao trabalhar dezesseis horas por dia em seu livro durante a lua de mel anual, John estava em conflito com o compromisso que ele e Julie tinham feito para passar esse tempo se aproximando. Apesar de ser um especialista em casamento, foi preciso que Julie chegasse às lágrimas para que John percebesse que suas prioridades andavam fora de prumo. O livro era um sonho profissional, mas naquele momento ele precisou reconhecer que as longas horas de pesquisa e escrita, embora benéficas para ele, não eram saudáveis para o relacionamento.

> Apesar de ser um especialista em casamento, foi preciso que Julie chegasse às lágrimas para que John percebesse que suas prioridades andavam fora de prumo.

Não naquele momento.

Julie não estava pedindo a ele que abrisse mão para sempre de algo tão significativo. Julie não estava dizendo a ele que escolhesse entre ela e o livro. Pedia apenas que ele o deixasse de lado durante a semana de lua de mel.

Se você está abrindo uma empresa, por exemplo, isso demandará tempo, dedicação e muito esforço, mas não é preciso haver problemas, desde que você seja transparente sobre o compromisso que está assumindo com seu trabalho e com seu futuro financeiro, discutindo e fazendo acordos com o seu par desde cedo. E as longas jornadas não vão durar para sempre. Obviamente, a menos que sejamos ricos, todo mundo precisa trabalhar para sobreviver. As contas não se pagam sozinhas. Alimentos, roupas e moradia são necessários. Sim, trabalho significa dinheiro, mas também pode significar realização pessoal, propósito e até paixão pela vida. Essas coisas também importam.

CARGA DIVIDIDA

Na década de 1950, essa conversa sobre trabalho e dinheiro era incomum. O homem era o provedor que vestia paletó e chapéu e saía de casa para o escritório todas as manhãs. Ele passava a vida inteira na mesma empresa – o mesmo emprego desde a contratação até a aposentadoria. Ele ganhava dinheiro. Ele detinha o poder. No casamento, a mulher ficava em casa e cuidava dos afazeres domésticos, dos filhos, da cozinha e da limpeza. A mídia sugeria fortemente que as mulheres cumprimentassem os maridos na porta de casa no fim do dia, lindas e com um drinque na mão para seu homem trabalhador.

Não estamos mais em 1950.

Tudo mudou, e os papéis tradicionais estão em fluxo há décadas. As mulheres trabalham e têm filhos, e os homens trabalham e têm filhos. Hoje é comum que os homens fiquem em casa com as crianças. Com mais frequência ainda, os dois cônjuges trabalham fora. As tarefas domésticas são compartilhadas. Os cuidados são compartilhados. Dinheiro e poder são compartilhados.

Até as boas lembranças que as pessoas costumam ter da década de 1950 são falhas, como apontou Stephanie Coontz em seu livro *The Way We Never Were* (O modo como nunca fomos). Naquela época, as mulheres casadas eram muitas vezes deprimidas e ansiosas, insatisfeitas, sem se sentirem no direito de ter os próprios sonhos, sem liberdade financeira, subjugadas pelo marido e tomando medicamentos para controlar a tristeza e a raiva. Mulheres e homens solteiros, gays e lésbicas ou pessoas em relacionamentos alternativos foram muitas vezes deixados de fora da história cultural.

Hoje em dia, as mulheres de 25 a 32 anos iniciam a carreira com educação mais avançada do que os homens.[3] Dentre as mulheres que ingressam no mercado de trabalho, 38% têm pelo menos um diploma universitário, em comparação a 31% dos homens na mesma faixa etária. Em 2015, as mulheres representavam mais da metade (51%) da força de trabalho técnica e profissional nos Estados Unidos.[4] E, de acordo com o Pew Research Center, a porcentagem de mulheres que consideram uma carreira bem remunerada "uma das coisas mais importantes da vida" é maior do que a porcentagem de homens na mesma faixa etária.[5] Dentre elas, 66% consideram que a carreira se encontra no topo da lista de prioridades, contra 59% dos homens. O mesmo estudo também revela que homens e mulheres consideram que um casamento bem-sucedido é mais importante do que uma carreira de sucesso. O amor, ao que parece, funciona independentemente da década em que vivemos. A boa notícia é que ninguém precisa escolher entre trabalho e relacionamento. Na verdade, pesquisas mostram que, se você está feliz no casamento, é mais provável que seja mais feliz no trabalho. O inverso também é verdadeiro: a satisfação no trabalho pode prever a satisfação conjugal, mas os pesquisadores descobriram que essa ligação é mais fraca.[6]

Há um tipo de trabalho que costuma causar conflitos entre o casal: o trabalho não remunerado. Os casais brigam mais sobre a divisão das tarefas domésticas (lavar a louça, lavar a roupa, varrer o chão) do que sobre empregos externos ou remunerados.[7] De fato, outro estudo do Pew Research Center, de 2007, demonstrou que, depois da fidelidade e de uma boa vida sexual, a divisão das tarefas domésticas foi listada como o elemento mais importante de um casamento bem-sucedido. Renda adequada, boa moradia, crenças religiosas compartilhadas, interesses afins e filhos vieram abaixo da divisão do trabalho doméstico.

Se você contratasse alguém para fazer todo o trabalho de cuidar de uma casa, especialmente com crianças, o custo seria de quase 90 mil dólares por ano. Isso é o que um cônjuge "tradicional" receberia hoje para limpar a casa, ser um assistente pessoal, executar tarefas e cuidar dos filhos. É muito dinheiro e é muito trabalho. Ou você paga alguém para fazer isso ou alguém no relacionamento terá que assumir esses encargos. De acordo com dados de 1965 a 2011, a quantidade de tempo gasto com trabalho remunerado, trabalho não remunerado e cuidados com os filhos (quando aplicável) é aproximadamente igual para homens e mulheres (nos Estados Unidos): em média 59 horas semanais para eles e 58 horas semanais para elas. Em 1965, os homens passavam em média 6,5 horas por semana em trabalhos não remunerados, como tarefas domésticas e cuidados com os filhos. Em 2011, esse tempo aumentou para cerca de 17 horas semanais.[8] Por outro lado, as mulheres costumavam gastar em média 32 horas por semana apenas em tarefas domésticas, e esse número (graças à divisão de carga com os homens) caiu para 18 horas semanais em 2011. Os papéis de gênero em relação ao trabalho estão convergindo e, no século XXI, não existe maneira certa ou errada de dividir as tarefas – é preciso descobrir o que funciona para vocês dois. Na era do casamento colaborativo, em que ambos fazem parte de uma equipe, vocês precisam decidir juntos o que funciona para seu relacionamento e sua vida. E saiba que isso vai se transformar quando (se) vierem os filhos, quando passarem por mudanças profissionais e quando trabalharem juntos para apoiar os sonhos um do outro. A vida profissional é bem mais do que um salário, e suas opiniões sobre o que significa trabalho e dinheiro evoluirão ao longo da vida.

> Há um tipo de trabalho que costuma causar conflitos entre o casal: o trabalho não remunerado.

TEMPO É DINHEIRO

O trabalho e a busca por dinheiro significarão coisas diferentes em momentos diferentes da sua vida, e encontrar o equilíbrio certo pode ser difícil. Haverá custos e benefícios para o relacionamento, dependendo das escolhas profissionais que cada um de vocês fizer. Se você entrar num relacionamento duradouro ou num casamento com a expectativa de que você e o seu par deixarão o trabalho todos os dias às 17 horas, prontos para sair, cozinhar, ir à academia, assistir a uma aula juntos ou ter uma conversa profunda, você encontrará decepção. Às vezes as demandas de trabalho vão parecer uma apropriação hostil do seu tempo livre e do seu relacionamento, e você precisará ter certeza de que o vínculo é forte o suficiente para suportar esses momentos.

Enquanto Rachel estava em sua residência médica, ela e Doug passavam muito pouco tempo juntos. Sua jornada de trabalho era longa e estressante, ela dormia pouco, e parecia que os dois nunca se viam, exceto no encontro semanal. Doug apoiava o sonho de Rachel de se tornar médica, mas a falta de conexão e de tempo a dois criou uma barreira entre eles. Ambos se sentiam insatisfeitos e começaram a discutir mais durante o breve período em que se viam. Embora cumprissem o encontro semanal, sentiam-se frustrados e sozinhos. "Eu me lembro de uma ocasião específica, quando não conseguimos sair do estacionamento do nosso prédio", lembrou Rachel. "Ficamos sentados no carro, lado a lado, e eu me sentia exausta, entorpecida e meio perdida. Eu vinha trabalhando demais, *por nós dois*, mas de alguma forma, no meio da minha extenuante residência, nós perdemos isso de vista. Tudo o que restava era o trabalho, e então me virei para Doug e disse: 'Receio que não vamos conseguir.' Acho que nós dois ficamos chocados quando eu disse isso em voz alta."

Foi esse momento de vulnerabilidade e de honestidade que permitiu que ambos abandonassem a frustração. Sentados no carro, eles choraram com a ideia de não terem mais um ao outro e de perderem tudo o que haviam construído juntos. Essa possibilidade era devastadora e, em pleno estacionamento, Rachel teve uma epifania.

"Percebi que meu casamento era a coisa mais importante para mim e, se fosse para fazer uma escolha, eu desistiria da medicina e mudaria de profissão."

Para Rachel, suas prioridades se tornaram claras em meio à crise. Em vez de desistir da medicina, ela acabou dizendo ao supervisor da residência que precisava de um mês de folga porque estar de plantão 24 horas por dia estava destruindo seu casamento. Durante aquele mês, ela e Doug listaram quais seriam suas prioridades na vida e no casamento. Em primeiro lugar vieram a saúde e o bem-estar espiritual. Em seguida, o casamento. Depois a família, e então o trabalho e o dinheiro. Rachel e Doug perceberam que vinham deixando as coisas mais importantes no fim da lista. Todos os casais devem entrar num acordo sobre suas prioridades. Cada casal, porém, será singular. Você e seu par devem conversar sobre o que priorizam e sobre o que valorizam.

GESTÃO DO TEMPO

É muito comum a queixa de que o parceiro trabalha demais. Casamentos excelentes exigem que cada um dedique tempo e energia ao outro. Seja você o cônjuge que está trabalhando em excesso ou aquele que reclama do excesso de trabalho, é útil ter uma conversa que explore os dois pontos de vista. Muitas vezes, nossa identidade, nosso propósito e nossa autoestima podem ficar vinculados "ao que fazemos", e isso nos obriga a trabalhar longas horas. Mas longas horas recorrentes cobram um preço, e vocês podem começar a se sentir emocionalmente desconectados, como Doug e Rachel, e isso coloca o relacionamento em risco. Se o tempo juntos estiver comprometido por causa do horário de trabalho de um de vocês, façam um ao outro as perguntas a seguir.

Àquele que trabalha muitas horas:

» O que o trabalho significa para você?

» Que prazer ou satisfação o trabalho lhe traz?

» Que necessidade o trabalho preenche na sua vida?

» Como passaria o seu dia se dinheiro não fosse problema e você não tivesse que trabalhar?

Àquele que está frustrado com as longas horas de trabalho:

» O que minha ausência significa para você?

» Do que você sente falta quando me afasto por muito tempo?

» O que você deseja em termos de conexão emocional, física, intelectual ou espiritual entre a gente?

Sempre que um expediente prolongado se tornar um problema na vida a dois, essas perguntas ajudarão vocês a chegarem ao entendimento, em vez de entrarem em conflito. Como escolhemos gastar nosso tempo afeta nosso relacionamento. Pare um pouco e pense sobre como é um dia típico para você. Faça um gráfico de pizza e mapeie suas 24 horas num dia comum. Quanto tempo você gasta trabalhando longe do seu par (trabalho remunerado fora de casa) e quanto gasta trabalhando junto dele (trabalho doméstico não remunerado)? Quantas horas você dedica à pessoa amada? Quantas dedica à família (se aplicável)? Quanto tempo você passa sozinho? Agora faça um segundo gráfico de pizza e anote qual seria o *tempo ideal*, na sua opinião, para cada uma dessas atividades. Se, por exemplo, você gostaria de passar três horas por dia se dedicando ao seu par e duas horas por dia sozinho, e a realidade é que você gasta cerca de uma hora para as duas coisas – então você sabe em quais áreas precisa trabalhar e quais são suas prioridades. Se vocês dois definirem as prioridades juntos no início do relacionamento, esse valor compartilhado de tempo pode ser um guia. Vocês terão um objetivo em conjunto e um parâmetro para identificar desequilíbrios em relação ao que os dois decidiram que é importante.

O VALOR REAL DO DINHEIRO

Nossa história pessoal em relação ao dinheiro pode afetar nossos relacionamentos de maneiras surpreendentes. É importante explorar o legado da sua família quanto a dinheiro, generosidade, poder e riqueza. Que história emocional e pensamentos você tem sobre ser pobre, sobre ser dependente ou independente, sobre ser forte ou fraco, sobre filantropia, responsabilidade cívica, luxo e orgulho de realizar alguma coisa? Quando duas pessoas se juntam depois de terem vivido histórias diferentes envolvendo dinheiro, elas devem enfrentar o desafio de fundir esses pontos de vista – ou lidar com as consequências de não abordá-los.

O primeiro passo é entender sua própria história.

O segundo é entender a história do seu par.

Exercício
MEU HISTÓRICO FAMILIAR COM O DINHEIRO

Respondam ao questionário abaixo, separadamente, antes do encontro. Depois discutam as respostas.

LEIA CADA PERGUNTA E RESPONDA HONESTAMENTE.

- Como seus avós maternos e paternos ganhavam a vida?
- Qual a situação financeira dos seus avós?
- Como seus pais ganhavam a vida?
- Qual a situação financeira dos seus pais?
- Quais eram as atitudes dos seus pais em relação ao dinheiro? Como você interpretava esse comportamento quando criança?
- Seus pais se sentiam à vontade para gastar? Como você encarava isso quando criança?
- Seus pais economizavam dinheiro ou investiam? Como você via isso quando criança?
- Sua família tirava férias ou viajava quando você era criança? Como você encarava essas férias? Falava-se de dinheiro?
- Sua família dava festas? Como você via isso quando criança?
- Sua família se envolvia em atividades filantrópicas ou de caridade?
- Você recebia mesada quando criança? Como encarava isso?

- Como tem sido sua história profissional?
- O que o dinheiro significa para você e por quê?
- Seus pais comemoravam seus aniversários? Você se sentia especial?
- Havia bolo de aniversário? Isso importava para você quando criança?
- Como seus pais demonstravam que sentiam orgulho de você? Ou não demonstravam?
- Você recebia presentes de Natal quando criança? Isso importava para você?
- O que seus pais lhe ensinaram sobre dinheiro? Como você se sente sobre esses ensinamentos agora?
- O que a história da sua família lhe ensinou em relação ao dinheiro? Qual é a sua atitude agora?
- Quais eram os valores da sua família em relação ao dinheiro? Com o que você concordava e com o que discordava?
- Qual é a sua lembrança mais dolorosa relacionada ao dinheiro? Compartilhe isso com o seu par.
- Qual é a sua lembrança mais feliz relacionada ao dinheiro? Compartilhe essa história também.

QUANTO É O SUFICIENTE?

O Talmude, escritura judaica, diz que uma pessoa rica é aquela que tem o suficiente. Mas "dinheiro suficiente" é um conceito relativo. Não importa se você está lutando para sobreviver ou se tem tanta riqueza que nem tem tempo de gastar, o dinheiro pode ser uma fonte significativa de conflito entre um casal. O que é então dinheiro suficiente? É claro que os casais têm problemas quando gastam mais do que ganham, quando têm uma dívida significativa, quando guardam segredos financeiros um do outro ou não estão trabalhando em equipe para atender a seus objetivos. Todo mundo tem metas de curto prazo: pagar o aluguel ou a hipoteca, pagar as contas da casa. Muitos casais também têm objetivos de longo prazo. Fazer um orçamento em conjunto é uma ótima maneira de elaborar um plano que atenda às suas obrigações financeiras e aos seus desejos diários e de longo prazo. Cada um de vocês é metade de uma equipe financeira, mas cada um também pode ter visões muito diferentes, como Trevor e Adam, sobre quanto dinheiro é o bastante. Isso ocorre porque o dinheiro tem diferentes significados simbólicos.

O dinheiro tem diferentes significados simbólicos.

Em nossa pesquisa com casais heterossexuais, descobrimos que pode haver diferenças profundas entre homens e mulheres quando se trata de dinheiro. Elas normalmente não fazem economias, e mais de 58% das que nasceram entre 1946 e 1964 (*baby boomers*) economizaram menos de 10 mil dólares em poupança para a aposentadoria. Estima-se que entre um terço e dois terços das mulheres com idades entre 25 e 55 anos estarão empobrecidas aos 70. Essa é uma estatística surpreendente. E, para muitas mulheres, ter dinheiro "suficiente" pode significar muitas coisas. Elas por vezes associam dinheiro "suficiente" a amor, respeito e segurança. Também o associam a aceitabilidade, atratividade e força.

Para os homens, normalmente há uma relação entre dinheiro e poder (isso também pode ser verdade para mulheres, mas é mais comum em homens, de acordo com nossa pesquisa). Quando perguntados, eles associam o dinheiro a ser competente, responsável e provedor. Dinheiro "suficiente" é muitas vezes equiparado a força, independência, maturidade, competição, poder social e vitória. A conclusão é que o dinheiro tem mais significados além das despesas e orçamentos e da aritmética envolvida com poupança e gastos. O objetivo é descobrir o que ele significa para você e entender o que significa para o seu par.

Exercício
O QUE SIGNIFICA TER DINHEIRO SUFICIENTE

Você e seu par devem preencher o questionário a seguir separadamente. Depois, preparem-se para conversar sobre as respostas.

Leia cada item e circule a alternativa que corresponde ao seu ponto de vista. Use a seguinte classificação:
5 = Concordo plenamente   **4** = Concordo   **3** = Não concordo nem discordo   **2** = Discordo   **1** = Discordo totalmente

Para mim, ter dinheiro suficiente significa ter poder.
5   4   3   2   1

Para mim, ter dinheiro suficiente significa ter independência.
5   4   3   2   1

Para mim, ter dinheiro suficiente significa ser forte.
5   4   3   2   1

Para mim, ter dinheiro suficiente significa não depender de ninguém.
5   4   3   2   1

Para mim, ter dinheiro suficiente significa ser responsável.
5   4   3   2   1

Para mim, ter dinheiro suficiente significa poder relaxar e não ter preocupações.
5   4   3   2   1

Para mim, ter dinheiro suficiente significa ter tempo para fazer o que eu gosto.
5   4   3   2   1

Para mim, ter dinheiro suficiente significa poder viver com luxo.
5   4   3   2   1

Para mim, ter dinheiro suficiente significa ser capaz de criar.
5   4   3   2   1

Para mim, ter dinheiro suficiente significa poder ajudar outras pessoas.
5   4   3   2   1

Para mim, ter dinheiro suficiente significa ter amor, carinho e afeto.
5   4   3   2   1

Para mim, ter dinheiro suficiente significa ter segurança, proteção e estabilidade.
5   4   3   2   1

Para mim, ter dinheiro suficiente significa me sentir competente.
5   4   3   2   1

Para mim, ter dinheiro suficiente significa ter controle.
5   4   3   2   1

Para mim, ter dinheiro suficiente significa ter autoestima elevada.
5   4   3   2   1

Para mim, ter dinheiro suficiente significa ser bem-visto pelos outros e por mim mesmo.
5   4   3   2   1

Para mim, ter dinheiro suficiente significa ser recompensado por todo o esforço.
5   4   3   2   1

Para mim, ter dinheiro suficiente significa ser um adulto de sucesso.
5   4   3   2   1

Para mim, ter dinheiro suficiente significa evitar estresse.
5   4   3   2   1

Para mim, ter dinheiro suficiente significa poder me dar certos presentes merecidamente.
5   4   3   2   1

Para mim, ter dinheiro suficiente significa me sentir respeitado.
5   4   3   2   1

Para mim, ter dinheiro suficiente significa assumir a responsabilidade como um adulto.
5   4   3   2   1

Para mim, ter dinheiro suficiente significa ter mais chances de fazer sexo.
5   4   3   2   1

Para mim, ter dinheiro suficiente significa ter grande liberdade.
5   4   3   2   1

Para mim, ter dinheiro suficiente significa que posso ter companhia.
5   4   3   2   1

Para mim, ter dinheiro suficiente significa me sentir rico e confortável.
5   4   3   2   1

Para mim, ter dinheiro suficiente significa preencher um vazio na minha vida.
5   4   3   2   1

Para mim, ter dinheiro suficiente significa que posso ser feliz.
5   4   3   2   1

Fica bem mais fácil administrar os conflitos relativos a dinheiro quando se entendem as semelhanças e diferenças de cada um em torno do assunto. O que para cada um de vocês constitui ter *o suficiente*? Com este teste, você pode aprofundar sua compreensão do que o dinheiro significa para a outra pessoa. Pense em como cada um contribui para a riqueza da vida a dois, seja dedicando seu tempo à relação, fazendo trabalhos domésticos ou ganhando dinheiro propriamente dito. Nunca é cedo demais para entender o histórico do seu par e o relacionamento dele com o dinheiro. Também nunca é tarde demais. Para ter uma vida inteira de amor e menos conflitos, expresse gratidão pelo que vocês têm, pela contribuição de cada um e pelo que estão construindo juntos. Diferentes significados conduzem a diferentes formas de se relacionar com as finanças. Existem maneiras de compatibilizar suas atitudes. Vale a pena discutir o assunto agora para evitar divergências sobre como vocês gastam e economizam seu dinheiro suado.

Namoro a jato
RESUMO DO CAPÍTULO

»> O dinheiro é uma das cinco principais causas de conflitos entre um casal.

»> Usar estereótipos para apontar quem é o Poupador e quem é o Gastador da relação não ajuda em nada. Cada um de vocês tem um histórico familiar diferente e valores específicos que foram incutidos. O importante é entender um ao outro, e não definir um ao outro, tampouco ter os mesmos valores.

»> O trabalho é o outro grande compromisso da sua vida, além do casamento e da família.

»> A relação com o trabalho e o dinheiro pode formar um "triângulo amoroso" com o casal, demandando tempo e energia. Encontrar um equilíbrio entre relacionamento e trabalho é fundamental para o sucesso de um casamento.

»> Problemas financeiros não se restringem a cédulas e moedas; envolvem também o que o dinheiro significa para cada parceiro num relacionamento.

»> Casais relatam que compartilhar as tarefas domésticas é o elemento mais importante de um casamento bem-sucedido, depois da fidelidade e de uma boa vida sexual.

»> Se um de vocês está sob enorme pressão e estresse profissional, e trabalhando por horas prolongadas, isso pode levar à solidão e à falta de conexão emocional no relacionamento. Isso separa as pessoas.

»> Descobrir o que o dinheiro significa para os dois ajudará bastante a resolver possíveis conflitos.

»> Cultive a gratidão pelo que vocês têm e pela contribuição que cada um dá ao relacionamento.

O encontro:
TRABALHO E DINHEIRO

TEMA DA CONVERSA
» Como cada um de nós agrega valor ao relacionamento? Qual é a nossa história em relação a trabalho e dinheiro? O que significa, para cada um, ter "dinheiro suficiente"?

PREPARAÇÃO
» Leia este capítulo e, antes do encontro, pense em três maneiras como o seu par contribui para a riqueza do relacionamento ou da família, financeiramente ou não. Você vai mencionar essas contribuições no início do encontro. Responda aos questionários "Meu histórico familiar com o dinheiro" e "O que significa ter dinheiro suficiente". Esteja preparado para discutir os dois.

LOCAL
» Este encontro deve ser gratuito ou custar o mínimo possível. Se sua renda tiver aumentado desde o início do relacionamento, faça algo semelhante ao que vocês costumavam fazer quando tinham menos dinheiro. Se optar por um restaurante, escolha um que vocês adorem mas que tenha preços acessíveis, para que possam pedir qualquer item do menu.

SUGESTÕES
» Considere ir a um hotel cinco estrelas para se sentar no saguão e conversar. Você deve escolher qualquer lugar em que se sinta confortável, rico ou muito bem de vida de alguma forma, não importa como você defina essas coisas. Seja criativo. Você pode ir ao parque e fazer um piquenique caprichado, por exemplo.

ENCONTRO EM CASA: Discutam as perguntas durante um almoço encomendado no seu restaurante favorito. Vistam-se com capricho. Usem a melhor louça. Deem-se pequenos luxos domésticos.

O QUE LEVAR

» Você deve levar as respostas aos dois exercícios deste capítulo para serem comparadas e discutidas. Esteja preparado para compartilhar suas histórias financeiras, suas experiências e valores individuais relativos ao trabalho e ao dinheiro, e o que eles significam para vocês.

SOLUÇÃO DE PROBLEMAS

» Lembre-se de que este tópico não é sobre orçamento, gastos ou qualquer coisa relativa a cifras. Trata-se de entender o que o dinheiro significa para cada um e se comprometer a discutir com sinceridade dinheiro e trabalho.

» Evite julgar os valores do seu par em relação a dinheiro – não há maneira certa ou errada de pensar ou lidar com as finanças.

» Nunca minimize o estresse que a outra pessoa está enfrentando no trabalho.

» Quando se trata de trabalho doméstico, seja honesto sobre o que você faz e não faz, e não compare ou meça seu trabalho com o do parceiro.

» Permita-se sonhar com dinheiro.

» Concentre-se em tudo o que vocês têm e não no que não têm. Não se concentre em erros do passado.

» Quando seu par compartilhar seus sonhos sobre dinheiro, não discorde dele nem descarte esses planos. Como em todos os sonhos compartilhados, precisamos ouvir, afirmar e fazer perguntas quando não entendemos.

PERGUNTAS ABERTAS PARA FAZER NO ENCONTRO

»» Cite três maneiras como eu contribuo para a riqueza do nosso relacionamento (financeiramente ou não).

»» Compartilhe e discuta comigo as respostas que você deu aos dois questionários.

»» O que você tem que mais lhe inspira gratidão?

»» Como você se sente em relação ao trabalho hoje?

»» Como você imagina que será seu trabalho no futuro?

»» Qual é o seu maior medo em relação ao dinheiro?

»» Qual é a melhor maneira de falarmos sobre como você gasta ou ganha dinheiro?

»» Numa escala de 1 a 10 (1 = nunca e 10 = sempre), com que frequência você pensa em dinheiro? Como posso ajudá-lo a se sentir seguro quando estiver preocupado com isso?

»» Quais são suas esperanças e sonhos relativos a dinheiro?

PARA AFIRMAR NOSSO FUTURO JUNTOS

Leiam a seguinte afirmação em voz alta, um para o outro, mantendo contato visual.

»» ««

Eu me comprometo a respeitar seus valores em relação a dinheiro e trabalho e a fazer minha parte para alcançarmos juntos nosso objetivo financeiro.

ENCONTRO »»5««

Espaço para crescer

FAMÍLIA

"É difícil falar sobre aumentar a família quando você não sabe como vai ser o futuro. Todo mundo sabe que a família é a coisa mais importante, mas se vai ser apenas você e seu par, ou se seus amigos serão como parte da família, ou se vocês terão filhos... é difícil dizer. Quero um filho, mas apenas um", disse Jamal. "O mundo já está superpovoado, e a única coisa que sei é que a minha família ideal deve ser o oposto da família em que fui criado."

Jamal e Luciana estão noivos e pretendem se casar no próximo ano. Ambos cresceram em famílias grandes e querem ter filhos, mas discordam em relação ao número. "Ter um é muito solitário e ter dois é muito convencional", rebateu Luciana. "Acho que três é perfeito, porque assim teremos uma grande família sem ser grande demais."

Jamal, por outro lado, mantém-se firme em seu desejo de ter apenas um filho. "Na minha família nunca havia atenção suficiente para todos. Com cinco crianças, meus pais estavam sempre no modo crise. Eles amavam a gente, mas acho que, com tantos filhos, a criação se resumia a logística e sobrevivência básica. Passávamos tempo juntos... principalmente porque nunca havia dinheiro o bastante para que fizéssemos alguma coisa fora de casa... Mas eu não diria que esse tempo era de qualidade. Meus pais trabalhavam, e acho que minha mãe trabalhava ainda mais. Estavam sempre exaustos. Não sei mesmo por que eles tiveram tantos filhos."

Luciana cresceu com três irmãos, e a mãe não trabalhava fora.

"Ela era bem tradicional nesse sentido. Envolvida quase demais na nossa vida escolar e social. Mas ela adorava ser mãe. Sempre jantávamos juntos e tínhamos um grande calendário na cozinha onde ela acompanhava todas as nossas atividades e eventos esportivos. Juro que ela poderia ter sido uma CEO... Era muito boa em gerenciar pessoas. Nunca parecia estressada, nem agia como se estivesse desperdiçando a própria vida. Mesmo agora que já saímos de casa, ela faz trabalho voluntário o tempo todo e dá aula na Associação Cristã de Moços. Ela simplesmente adora crianças. Acho que ela poderia ter tido dez filhos, se meu pai estivesse disposto. Mas eles sempre enfatizaram nossa independência, desde que começamos a andar. Alguns amigos meus da faculdade não sabiam sequer lavar a própria roupa ou fritar um ovo. Era uma loucura. Quero investir na minha carreira, mas acho que é possível dar um bocado de atenção e tempo para os filhos e se dedicar a um trabalho que se ama. Basta ter um calendário enorme na parede."

Para Jamal e Luciana, concordar em ter filhos é uma questão fundamental. "Eu não ficaria com alguém que não quisesse ter filho", disse Luciana. "Mas não vejo problema em discordar do número. Não fazemos ideia de quais serão realmente as demandas da nossa vida... A gente sabe que a rotina mudará drasticamente com a chegada de um bebê e que será uma loucura que mal podemos imaginar... Então, embora no momento eu ache ideal ter três filhos, posso muito bem mudar de ideia quando tiver um choque de realidade."

Ambos concordam, no entanto, sobre os valores e virtudes que gostariam de incutir em seus futuros descendentes. "Quero que nosso filho seja esforçado", disse Jamal. "Quero que seja gentil e altruísta, e não uma pessoa gananciosa ou mimada."

Luciana quer que eles tenham grandes metas acadêmicas. "Mestrados e até mais. Quero criá-los para que valorizem a educação e o aprendizado."

Jamal parecia em dúvida. "Vai ficar muito caro se tivermos três. A menos que a gente convença dois deles a não estudar muito. Você assume essa tarefa? Mais um motivo para ter filho único!"

Luciana riu. "Quero que eles tenham o seu senso de humor. E que sejam extrovertidos como você, que tenham suas habilidades sociais. Quero que eles se sintam confortáveis em qualquer grupo. Eu sou muito tímida e meio introvertida. Já você é ótimo em lidar com todo mundo, e eu quero que eles sejam assim também."

Jamal deseja que eles tenham a atitude positiva de Luciana. "Ela nunca desiste. É persistente demais quando vai atrás do que quer. Desejo isso para nosso filho, ou filhos, já que ela provavelmente não vai desistir da ideia de termos três."

Ao discutir quantos filhos poderiam ter, Jamal e Luciana foram capazes de negociar sem perder o bom humor, o que é um indício de que esse assunto provavelmente não será fonte de grandes conflitos entre eles. Ambos são abertos e flexíveis e entendem de fato a perspectiva um do outro. Queremos que você aborde o tema da família com o mesmo humor e flexibilidade. Família significa coisas diferentes para pessoas diferentes. E a definição tradicional de família como marido e mulher que pensam da mesma forma, com dois filhos e uma casinha com cerca branca, é tão desatualizada quanto videocassetes, pagers e serviços de telefonista. A família de hoje tem diversidade étnica, política, sexual e religiosa. Famílias podem ter filhos biológicos, enteados, filhos adotivos, filho nenhum, ou incorporar aquele seu amigo que ainda age como criança. Há também cada vez mais famílias com pais e mães do mesmo sexo ou trans. A família pode ser apenas você e o seu par, ou pode incluir toda a parentada, seu animal de estimação e seus amigos íntimos. Família pode ser qualquer lugar ou companhia que faça você se sentir em casa, amado e acolhido.

Família pode ser qualquer lugar ou companhia que faça você se sentir em casa, amado e acolhido.

No entanto, a forma com que você define família agora ou no futuro depende de você e da pessoa amada. O mais importante é que vocês falem sobre o que família significa e como querem que ela seja. E, se o plano de vida incluir crianças, é melhor iniciar esse futuro discutindo com antecedência como o amor entre vocês dois vai se expandir para incluir o amor à sua prole. Discutir isso agora poupa muito sofrimento no futuro.

Como dissemos, se apenas um de vocês quiser ter filhos, isso pode se tornar um enorme problema. Se você se casar esperando fazer o outro mudar de ideia, pode ir se preparando para o desastre. É importante discutir se vocês querem ter filhos e quantos. Se um dos dois acha que a família ideal conta com apenas uma criança e o outro já planeja beliches triplos em cada quarto para abrigar um time de futebol, então você está prestes a enfrentar uma grande encrenca caso não aborde o assunto de antemão.

Fomos abençoados com filhos e eles são os amores da nossa vida. Também dão muito trabalho. E consomem muito dinheiro. As estatísticas demonstram que uma criança nascida nos Estados Unidos em 2015 custará em média 233.610 dólares para ser criada até os 17 anos, isso no caso de ela pertencer a uma família de renda média, que ganhe entre 60 mil e 100 mil dólares anuais.[9] Se juntos os pais ganham mais de 105 mil dólares, então o custo médio para criar alguém até os 17 anos seria de surpreendentes 407.820 dólares. Agora multiplique esse valor pelo número de filhos que o casal deseja ter. Isso sem levar em conta os custos de faculdade. Nos Estados Unidos, o custo de um diploma universitário numa instituição particular, somando mensalidade, alojamento, alimentação e livros, pode chegar a 80 mil dólares por ano. Isso significa 320 mil dólares por filho.

FIQUE À FRENTE DA CURVA

Quando nós, os autores, pensamos em ter filhos, pensamos em sacrifício e amor. Quando se acolhe uma criança no relacionamento, experimenta-se abnegação e um amor profundo. Não há palavras para descrever a paixão por um filho. Apaixonar-se pelo seu par é uma coisa, mas a paixão que acontece quando você segura seu recém-nascido pela primeira vez é como ser atingido por um meteoro. É claro que as crianças demandam e merecem amor, tempo e atenção, mas isso não deve ser à custa do relacionamento dos pais.

O casal de celebridades Giuliana e Bill Rancic disse numa entrevista à *US Weekly*: "Colocamos nosso casamento em primeiro lugar e nosso filho em segundo." Essa frase de efeito causou rebuliço e provocou, nos meios de comunicação, discussões sobre os dois serem ou não "bons pais". O que não chegou às manchetes foi a declaração completa do casal:

> Somos marido e mulher, mas também somos grandes amigos. É engraçado que, quando chegam os filhos, muita gente coloque o bebê em primeiro lugar e o casamento em segundo. Isso funciona para alguns. Nós, por outro lado, colocamos nosso casamento em primeiro lugar e nosso filho em segundo porque a melhor coisa que podemos fazer por ele é termos um casamento sólido.

Esse debate sobre quem deve ser priorizado quando o casal tem filhos não é exclusivo dos Rancics. Ayelet Waldman tem enfrentado a ira do público desde que seu artigo "Truly, Madly, Guiltily" (Com sinceridade, loucura e culpa) foi publicado no *The New York Times* há mais de uma década. Nele ela confessava (com sentimento de culpa) que amava mais o marido do que os filhos.[10] Ela também disse que, se perdesse um dos filhos, seria capaz de sobreviver, desde que ainda tivesse o marido (o romancista Michael Chabon). No artigo, ela lamenta que em seu grupo de mães ela seja exceção quando se trata de ainda estar focada no marido e na manutenção de uma vida sexual ativa depois dos filhos. "Por que, de todas as mulheres na sala, sou a única que não fez a transição que uma boa mãe deve fazer para uma vida menos erótica? Por que sou a única incapaz de colocar os filhos no centro do meu universo emocional?"

O alvoroço sobre o artigo de 2005 continua até hoje, e Waldman ainda defende o que escreveu. "Se você concentrar toda a sua paixão emocional nos filhos e negligenciar o relacionamento que deu início àquela família [...], com o passar do tempo as coisas podem dar muito, muito errado. Não sou uma mãe perfeita, mas fazer meus filhos se sentirem seguros quanto ao relacionamento dos pais é algo que me enche de orgulho", diz ela.

Waldman sabe o que muitos de nós, com filhos mais velhos, sabemos. Se tudo correr conforme o planejado, essas crianças vão acabar partindo. E, quando o casal voltar a ficar sozinho, o relacionamento vai se deteriorar se não mantiver a intimidade ou o vínculo.

Como se vê, os Rancics e Ayelet Waldman e Michael Chabon não são egoístas nem loucos; eles estão à frente da curva – a curva em forma de U.

O sociólogo Ernest Burgess foi uma das primeiras pessoas a estudar casais. Na década de 1930, ele queria desenvolver um parâmetro científico para prever a taxa de sucesso dos casamentos.

Em seu estudo longitudinal, ele descobriu que, a partir do começo do casamento, à medida que se avançava no espectro da vida a dois, a satisfação conjugal fazia uma curva em forma de U. Ela começava a cair depois do casamento e, em seguida, dava um grande mergulho com a chegada do primeiro filho – despencando mais ainda com cada filho subsequente. Se o casal não se divorciasse enquanto estivesse no ponto mais baixo, a satisfação conjugal começaria a aumentar com a partida do filho caçula. Isso não se aplica apenas ao início do século XX. Essa é a norma.

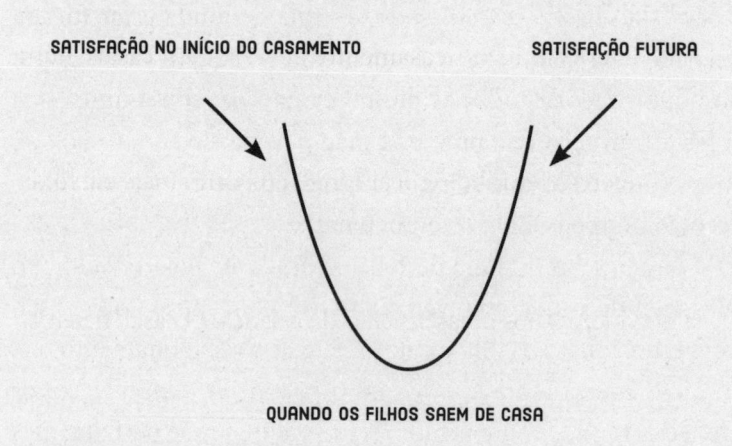

SATISFAÇÃO NO INÍCIO DO CASAMENTO   SATISFAÇÃO FUTURA

QUANDO OS FILHOS SAEM DE CASA

O estudo longitudinal com recém-casados feito por John Gottman constatou que, para os casais que têm filho após cerca de quatro anos de casamento, 67% apresentam uma queda vertiginosa na felicidade conjugal nos primeiros três anos de vida do bebê. Ao analisar vídeos de discussões entre diferentes casais, os pesquisadores constataram que aqueles que apresentavam mais discordância e hostilidade eram os que tinham filhos. Por outro lado, um terço de todos os casais que haviam se tornado pais não tiveram queda na felicidade a dois. Por isso John escolheu observar casais atentamente nos três primeiros meses após o casamento. Haveria alguma diferença que ele pudesse ver antes do nascimento do bebê que antecipasse se o casal manteria a felicidade depois? O que John descobriu em seu estudo longitudinal com casais heterossexuais foi que os homens que eram mais respeitosos com a esposa e que aceitavam mais a influência ou as opiniões da companheira tendiam a não apresentar queda na satisfação conjugal após o nascimento dos filhos.

Esses mesmos homens também eram drasticamente diferentes durante a gravidez da esposa. Eles se envolviam, conversavam com o feto e elogiavam a parceira dizendo que ela estava linda e conduzindo muito bem a gestação. John e Julie conseguiram reverter a deterioração do casamento de 77% dos casais num workshop de dois dias, que acabou se tornando o livro *And Baby Makes Three* (Eu, você e o bebê).

Se vocês querem ter filhos e ficar longe do ponto mais baixo da curva em U, é preciso que ambos tenham dois objetivos principais.

1. Ambos devem se esforçar para continuar envolvidos durante a gravidez e após o nascimento da criança. O casal, heterossexual ou não, deve estar comprometido o mais igualmente possível com o bebê. Para casais heterossexuais, estudos mostram que o envolvimento do pai é muito importante, e o segredo para manter o homem envolvido com o bebê é um bom relacionamento com a esposa. Se houver pouco conflito e sexo frequente, o pai permanecerá próximo ao bebê e o casal terá mais chance de manter a felicidade conjugal.

> Se vocês querem ter filhos e permanecer felizes, é preciso que ambos tenham dois objetivos principais.

2 A segunda coisa mais importante é manter a intimidade e a conexão. Vocês precisam dar prioridade ao relacionamento. Do contrário, cairão no fundo da curva e ali ficarão por 18 anos – se não se divorciarem antes. Para manter a intimidade, é preciso que os dois conversem sobre as pressões que sofrem, arranjem tempo para se conectar (noites de encontro!) e evitem ficar na defensiva, criticar, desdenhar, se fechar ou se afastar um do outro. Reveja os capítulos sobre conflito e sexo em caso de dúvida.

SONO E SEXO

Um medo comum entre os casais a respeito da chegada dos filhos é que isso represente o fim da vida sexual, que não haja mais espaço para romance, viagens e ambições, e que o matrimônio e a carreira sejam afetados. Essas coisas acontecem. Como já dissemos, acontecem em cerca de dois terços dos casamentos. Lembre-se de que examinamos o trabalho dos cientistas do Center on Everyday Lives of Families (CELF), da UCLA, que passaram quatro anos estudando a vida de famílias jovens – com pais na faixa dos 30 anos.[11] Todas as noites, os casais permaneciam no mesmo cômodo por apenas 10% do tempo, em média, antes de irem dormir; a maior parte do tempo, ficavam separados cuidando de assuntos diversos ligados às crianças, à casa e ao trabalho. A maioria das conversas entre os casais era sobre incumbências e outras coisas que precisavam ser feitas. Se vocês optarem por ter uma família, é imprescindível reservar um tempo especial para que continuem se concentrando um no outro, tendo uma vida sexual satisfatória e construindo rituais de conexão e intimidade. O maior presente para uma criança é um relacionamento amoroso entre os pais. Esse será o alicerce do seu filho ou da sua filha por toda a vida.

Namoro a jato
RESUMO DO CAPÍTULO

- ››› A definição de família é diversa e pode incluir filhos biológicos, enteados, filhos adotivos, filho nenhum, animais de estimação, amigos ou toda a parentada.

- ››› A decisão de aumentar ou não a família pode ser um problema. Seja muito honesto e aberto sobre seu desejo de ter filhos e, se for o caso, sobre quantos você quer ter. Não entre num casamento pensando que é possível mudar a opinião do seu cônjuge mais tarde.

- ››› O principal relacionamento é aquele que você tem com o seu par.

- ››› Aproximadamente dois terços dos casais apresentam queda acentuada na satisfação conjugal logo após o nascimento de um filho e essa queda se torna ainda mais profunda a cada filho subsequente.

- ››› Para evitar a deterioração da felicidade conjugal, os pais precisam estar envolvidos na gravidez, no parto e nos cuidados com o bebê. Além disso, é preciso que haja pouco conflito e uma vida sexual satisfatória.

O encontro:
FAMÍLIA

TEMA DA CONVERSA
» Para cada um de nós, o que significa criar uma família? Queremos ter filhos? Como poderíamos definir uma família como a nossa?

PREPARAÇÃO
» Reflita sobre o que você leu neste capítulo e sobre quaisquer ideias que ele tenha despertado. Pense no que a família significa para você e em como gostaria de construí-la no seu relacionamento.

LOCAL
» Você pode escolher uma praça ou playground, um parque de diversões ou qualquer lugar onde crianças e famílias se reúnam. Encontre um local tranquilo onde vocês possam ver atividades em família, mas também possam se concentrar um no outro e na conversa (lembre que alguns parques e playgrounds não permitem a entrada de adultos sem criança). Se preferir conversar durante o jantar, escolha um restaurante frequentado por famílias.

SUGESTÕES
» O ideal é que, durante esse encontro, haja famílias com crianças no seu entorno. Isso servirá de inspiração para a família que você gostaria de criar ou para manter sua decisão de não ter filhos.

ENCONTRO EM CASA: Cada um de vocês pode preparar uma comida que adorava na infância – por exemplo, bolinhos de chuva, macarrão com salsicha ou cachorro-quente. Separem uma foto de quando eram crianças para mostrar um ao outro.

O QUE LEVAR

»» Leve suas ideias sobre o tipo de família que você gostaria de ter, bem como seus planos para continuar priorizando o relacionamento mesmo após a chegada dos filhos.

SOLUÇÃO DE PROBLEMAS

»» Mantenha a mente aberta para as opiniões do seu par sobre família.

»» Seja honesto quanto ao seu desejo de ter filhos ou não.

»» Não critique a família do seu par – incluindo sogros, irmãos ou amigos muito próximos.

»» Se vocês já têm filhos, agradeça ao seu par pelo apoio que ele tem dado na criação das crianças.

»» Expresse seus próprios valores e a atitude que você espera do outro em termos de família. Nunca critique os valores e as necessidades da outra pessoa, nem seu estilo parental caso já tenham filhos.

PERGUNTAS ABERTAS PARA FAZER NO ENCONTRO

Façam um ao outro as seguintes perguntas:

1 Como é a família ideal para você? Só nós dois? Nós, amigos e parentes? Quantos filhos você gostaria de ter, se é que deseja ter algum?

2 Como era o relacionamento dos seus pais depois que eles tiveram filhos, em termos de proximidade, amor e romance?

PARA CASAIS QUE PLANEJAM TER FILHOS:

1 Que dificuldades você acha que podemos ter para manter nossa intimidade depois de uma gravidez?

2 O que você acha que vai adorar quando tivermos filhos?

3 Que características ou qualidades minhas você gostaria que nossos filhos tivessem?

PARA CASAIS QUE NÃO PLANEJAM TER FILHOS OU CUJOS FILHOS JÁ SÃO CRESCIDOS:

1 De que modo podemos criar, só nós dois, um senso de família?

2 Quem você considera nossa família mais próxima (entre amigos ou parentes, por exemplo)? Como você pretende aprofundar nosso relacionamento com os parentes e amigos mais próximos?

PARA AFIRMAR NOSSO FUTURO JUNTOS

Leiam a seguinte afirmação em voz alta, um para o outro, mantendo contato visual.

»» ««

Eu me comprometo a criar com você uma família amorosa. Se tivermos filhos, também me comprometo a evitar conflitos destrutivos e sempre priorizar nosso relacionamento.

ENCONTRO »»6«««

Vamos brincar

DIVERSÃO E AVENTURA

Nossa vida e nossos relacionamentos são melhores, mais alegres e mais divertidos quando nos lembramos de brincar, quando injetamos neles alguma dose de aventura. Quando foi a última vez que você e seu par experimentaram juntos algo novo? A última vez que partiram numa aventura? A última vez que riram juntos? Que fizeram palhaçada? Se não consegue se lembrar, então o casal precisa urgentemente de uma infusão de brincadeira. Brincar é parte necessária e vital de nosso relacionamento. A verdade pura e simples é que casais que se divertem juntos permanecem juntos.

Um dos grandes mitos nos relacionamentos é que o casal precisa ter as mesmas noções de diversão e aventura para ser feliz. Claro que isso é ótimo quando acontece, mas não é determinante. O mais importante é que saibam se divertir juntos e apoiem um ao outro em suas aventuras individuais.

Para muitos casais, a diversão costuma ser a primeira coisa a entrar num relacionamento e a última a ser cumprida na lista de afazeres. Longos expedientes, demandas familiares e estresse podem consumir todo o tempo para brincadeiras. Howard Markman, professor de Psicologia na Universidade de Denver e codiretor do Centro de Estudos Conjugais e Familiares, diz: "A correlação entre diversão e felicidade conjugal é alta e significativa. Quanto mais você investir em diversão, amizade e apoio mútuo, mais feliz será o relacionamento com o passar do tempo." Markman e seu codiretor, Scott Stanley, iniciaram um estudo de longo prazo com mais de 300 casais de Denver em 1996, usando um questionário baseado numa "escala de diversão e amizade" desenvolvida pelos dois. Embora o estudo ainda não tenha sido publicado, os resultados são claros: são mais felizes os casais que brincam, riem e fazem do cotidiano um "jogo".

Um dos grandes mitos nos relacionamentos é que o casal precisa ter as mesmas noções de diversão e aventura para ser feliz.

Divertir-se juntos, fazer alguma atividade em dupla e dar risada um com o outro contribui para um relacionamento mais forte, feliz e saudável. O psicólogo Arthur Aron, da Universidade do Estado de Nova York em Stony Brook, estudou casais para ver como a participação em novas atividades afetaria a forma como cada pessoa vivenciava a relação. Quanto mais atividades novas e excitantes (e não estamos falando daquele outro tipo de excitação), mais felizes os casais diziam estar com a vida em comum. A alegria com as novas experiências influenciava os sentimentos em relação à outra pessoa. Se os dois estavam se divertindo juntos, era porque o par devia ser divertido. A conclusão é que a diversão não é um luxo ou uma futilidade, mas uma necessidade para um relacionamento feliz e bem-sucedido.

Brincar não é apenas estar um com o outro; é uma conexão mútua. Quando nos divertimos juntos, desenvolvemos confiança e intimidade. Assim como as crianças aprendem a cooperar brincando, a atividade lúdica também desenvolve a cooperação nos relacionamentos adultos. Não importa se você está empinando pipa, fazendo uma caminhada ou jogando um jogo de tabuleiro –

quando se divertem juntos, vocês compartilham significados e momentos de lazer, e isso, por sua vez, aprofunda a intimidade e a conexão que vocês têm um com o outro.

O Dr. Stuart Brown, fundador do National Institute for Play, na Califórnia, diz que brincar é "uma atividade arrebatadora, aparentemente sem propósito, que proporciona prazer e suspende a autoconsciência e a noção de tempo". Brown acredita que "nada ilumina tanto o cérebro como brincar" e que "somos projetados para brincar durante toda a vida, não apenas quando crianças".

E o que isso significa em termos de relacionamento e busca por um final feliz? Brown revela: "Brincar renova os vínculos de longa data entre adultos. Sua ação restauradora e revigorante é marcada por elementos como o humor, o prazer da novidade, a capacidade de compartilhar com leveza as ironias do mundo e o prazer de contar histórias um para o outro. Essas comunicações e interações lúdicas, quando nutridas, facilitam a conexão e favorecem um relacionamento mais gratificante – a verdadeira intimidade."

Encontrar maneiras de brincar juntos, com a maior frequência possível, ajuda seu relacionamento a prosperar. Transformar a brincadeira em prioridade contribui para criar uma relação plena de alegria e felicidade.

RIR É O MELHOR REMÉDIO

A essência emocional da brincadeira é o riso. É possível brincar ao lavar a louça. Ao cortar a grama. Até mesmo enquanto se "trabalha" no relacionamento. Brincar é ser alegre, espontâneo. Brincar é uma atitude. Brincar é amizade. Brincar também é uma forma de estar no mundo.

No início do namoro, você provavelmente tinha muito tempo para brincadeiras. Os encontros eram cheios de novidades, de empolgação e aventura. Você foi construindo amizade e romance com base no lúdico. Isso não precisa terminar quando mergulhamos numa relação "séria" ou duradoura. Na verdade, é nesse momento que é preciso fazer um esforço ainda mais consistente e concentrado para incorporar o lúdico na vida cotidiana e na própria essência de seu relacionamento.

"Tudo era emocionante no começo", contou Kim, uma mulher de 20 e poucos anos que acabara de ficar noiva. "Tínhamos planejado um monte de coisas divertidas para fazer juntos quando estávamos namorando. Surfe, parques de diversões, shows, jogos de beisebol. Agora estamos morando juntos e planejando nosso casamento e parece que gastamos todo o tempo livre vendo TV ou indo ao cinema. Não fazemos o mesmo esforço para procurar coisas novas. Eu não queria que acabássemos como aqueles casais que se sentam num restaurante, ano após ano, sem absolutamente nada de novo ou de interessante para dizer um ao outro."

A preocupação de Kim é comum. Pode até ser natural do ser humano, pois nosso cérebro parece precisar de brincadeiras e aventuras para encontrar saúde e bem-estar ideais. O sistema de aventura, ou de busca, é uma força motriz em todos os mamíferos. É o que leva um esquilo a cheirar uma noz, ou obriga todos os animais a procurar em seu ambiente os recursos de que precisam para sobreviver. Os seres humanos também têm um sistema de busca, que trabalha com a exploração e, em última análise, com a curiosidade. Os animais procuram comida ou um companheiro, mas os seres humanos são altamente desenvolvidos. Buscamos novas experiências, novos entendimentos e novos significados. E buscamos a recompensa e o prazer que vêm dessas novas experiências.

Quando você sente prazer, excitação ou euforia, a rede neural chamada *sistema de recompensa* entra em ação no seu cérebro. Esse circuito cerebral inclui os neurônios da área tegmental ventral, os gânglios da base, o córtex pré-frontal e o núcleo accumbens. Esse sistema também está envolvido com a aprendizagem, com a motivação e com a nossa busca por novidades excitantes na vida. A dopamina é o principal neurotransmissor do sistema de recompensa. Se o seu cérebro for inundado com dopamina suficiente, você se sentirá eufórico, como se algo maravilhoso estivesse prestes a acontecer. Seja a vitória do seu time, um beijo de alguém que você ama ou um elogio do chefe, o prazer que você sente é a descarga de dopamina estimulando o sistema de recompensa do seu cérebro. Quando se experimenta algo agradavelmente novo e desconhecido, o cérebro recebe um grande prêmio encharcado de dopamina. Isso é bom. Isso nos impulsiona.

Num relacionamento, o problema surge quando cada pessoa recebe esse prêmio cerebral de maneiras diferentes. Julie não consegue satisfazer o sistema de busca do seu cérebro apenas se sentando no sofá para ler livros de física. John consegue. O cérebro de John (o cérebro de um homem que pode facilmente pensar em dez maneiras de morrer num piquenique) não terá a mesma onda de prazer que ela obtém ao esquiar em velocidade vertiginosa na encosta de uma montanha.

> Brincar é ser alegre, espontâneo. Brincar é uma atitude. Brincar é amizade. Brincar é uma forma de estar no mundo.

Existem até mesmo alguns estudos científicos que mostram que algumas pessoas podem ter uma variante genética no sistema de dopamina que faz com que escolham comportamentos e atividade de mais risco. Isso pode incluir esqui em montanhas remotas, surfe de ondas gigantes e até vício em drogas. Cynthia Thomson, pesquisadora da Universidade da Colúmbia Britânica, identificou o que chama de "gene da audácia". Esse gene pode limitar a quantidade de dopamina liberada para algumas pessoas, fazendo com que elas busquem níveis mais altos e radicais de aventura para obter a mesma recompensa.

ACAMPAMENTO BASE

Imagine que vocês estão juntos há algumas décadas. Agora imagine seu par entrando na casa tranquila, silenciosa e bonita que vocês construíram ao longo dos anos. Você espera que a conversa seja sobre o que fazer para o jantar, ou talvez sobre os planos para o fim de semana, mas, em vez disso, seu cônjuge anuncia que precisa escalar o monte Everest antes de completar 50 anos, o que acontecerá muito em breve.

Foi o que aconteceu com John há aproximadamente dezesseis anos. Julie anunciou que precisava levar um grupo de mulheres para o acampamento base do Everest e talvez subir um pouco mais. Seria uma grande aventura e a realização de um sonho de uma vida inteira. John ouviu Julie falar sobre como aquela viagem seria importante para ela e, sendo um marido esclarecido e um estudioso especializado em casamento, ele respondeu: "Você enlouqueceu?"

"Num primeiro momento, pensei estar diante de uma louca imprudente que precisava ser controlada. Não disse isso em voz alta. Afinal de contas, sou terapeuta de casal e sabia que não podia fazer isso. Meu segundo pensamento foi: e se ela morresse? Eu estava em pânico, apavorado. E compartilhei meus medos com ela."

Felizmente para John, Julie estava casada com ele por tempo suficiente para saber a melhor forma de reagir a seu pânico e preocupação. Ela o ouviu, reconheceu seus medos e o tranquilizou da melhor forma possível. Ela repassou o itinerário, o programa de treinamento, as precauções de segurança, os custos e todos os pequenos detalhes, na esperança de que a preocupação dele diminuísse. Por fim, John acabou concordando com o plano da esposa, desde que ela levasse um telefone via satélite e ligasse para ele diariamente ou a cada dois dias.

Julie embarcou num programa de treinamento de um ano, subindo escadas íngremes por toda a Seattle enquanto carregava uma mochila de 20 quilos.

John observa: "Ela chegou a perguntar se eu queria ir para Katmandu com ela. Sou capaz de desmaiar subindo uma escada e sabia que no Everest não haveria serviço de quarto, por isso recusei." E continua: "Ela fez entrevistas com os guias sherpas. Eu também os conheci e achei que eram todos cafajestes que só queriam dormir com as mulheres. Mesmo assim me esforcei para aceitar que ela faria aquela viagem. Até que chegou o grande dia e ela partiu. Minha maior contribuição foi guardar minhas lamúrias até que ela voltasse."

"No fim das contas, precisei enfrentar o fato de que essa mulher, o amor da minha vida, é muito diferente de mim", prossegue John. "Ela é uma atleta, uma exploradora, uma autêntica aventureira. Aventura para mim é estudar mecânica quântica e diferentes equações na segurança da minha poltrona. Julie foi esquiadora de encostas na faculdade, chegando a descer a 75 quilômetros por hora. Por que alguém faria uma coisa dessas, meu Deus? Mas Julie queria subir parcialmente o Everest, então eu precisava entender o que isso significava para a minha garota e apoiá-la."

John finaliza: "Nunca vou me esquecer da expressão em seu rosto na foto que ela tirou no Kala Patthar, um pico vizinho ao Everest, de 5.644 metros de altitude. Aquela foto de Julie é o retrato da dopamina em ação. Emoldurei-a e pus na parede de nossa casa porque eu nunca tinha visto minha esposa tão feliz. Nunca."

Embora John e Julie não encontrem a mesma diversão nos esportes radicais, eles fazem natação juntos, embarcam em aventuras que não exigem seguro de vida, exploram novos lugares para andar de caiaque e viajam para destinos incríveis por todo o planeta. Os dois aprenderam a verbalizar seus diferentes interesses e a desfrutar juntos da diversão que funciona para os dois.

ENCONTRANDO PONTOS EM COMUM

O fundamental não é obrigar seu par a querer brincadeiras e aventuras idênticas às suas. Na verdade, as ligações no cérebro da outra pessoa podem tornar isso praticamente impossível. Essa necessidade fundamental de buscar o novo, de ser desafiado e de experimentar a surpresa faz parte de cada um de nós. Reside nas profundezas do nosso cérebro primitivo e nunca nos deixa, não importa a nossa idade. Cada um de nós anseia por emoção e por aquela sensação avassaladora de que algo maravilhoso está prestes a acontecer.

Para um casal, brincadeiras e aventuras são momentos de aprender juntos, crescer juntos, explorar juntos e apoiar a curiosidade natural dos dois. A aventura sempre envolve o desconhecido e, desse modo, há sempre uma pitada de perigo. Algumas pessoas conseguem tolerar mais perigo do que outras. Explore as semelhanças e as diferenças e encontre um terreno comum. John e Julie descobriram que aventura para os dois é andar de caiaque oceânico em seu Seaward duplo, uma atividade que ambos adoram fazer.

"Eu adoro estar na água", diz John. "E Julie é muito ativa. Nunca vou escalar montanhas, mas encontramos um lugar onde poderíamos conciliar o amor dela por esportes radicais e o meu medo geral de qualquer coisa mais extenuante que uma leitura. Num caiaque. Colocamos nosso caiaque na água, nos afastamos da costa e escapamos das exigências da vida, do trabalho e da família. Esse tipo de esporte é uma válvula de escape para nós. E, mais importante, encontramos um lugar que combina nossos diferentes estilos de diversão. Isso nos aproximou com o passar dos anos. Sempre que saímos de caiaque, acabamos nos conectando. Temos que confiar um no outro na água. Depender um do outro. Enfrentamos juntos os desafios do esporte e isso nos inflama. Nós nos sentimos revigorados como indivíduos e como casal. Andar de caiaque é nosso momento especial longe do mundo. Rimos. Conversamos. Cantamos. A gente se sente totalmente seguro. Nunca nos criticamos enquanto remamos. No começo, remávamos em círculos e apenas ríamos. Criamos uma nova experiência compartilhada, e isso nos ajudou a permanecer apaixonados ano após ano de casamento."

Criamos uma nova experiência compartilhada,
e isso nos ajudou a permanecer apaixonados
ano após ano de casamento.

A necessidade de aventura é universal, mas as maneiras como buscamos essa novidade serão diferentes. Nem melhores, nem piores. Não há certo nem errado. Há apenas a diferença. Para alguns casais, aventura é fazer uma aula de culinária nunca tendo cozinhado na vida. Ou fazer uma aula de arte sabendo desenhar apenas bonequinhos de palito. A aventura não precisa acontecer em cumes distantes ou com risco à vida e à integridade física. Em sua essência, é simplesmente buscar o que é novo e diferente. É qualquer coisa que tire você da sua zona de conforto, proporcionando aquela emoção induzida pela dopamina.

LUA DE FEL

Doug e Rachel fizeram da aventura parte integral de seu relacionamento desde o início. Ao contrário de John e Julie, eles têm um senso de aventura muito semelhante, o que não é necessariamente bom. Ambos anseiam por emoções e tiveram que gastar uma pequena fortuna em seguros. Na lua de mel, eles tiveram muitas experiências quase fatais, o que fez com que os votos de "até que a morte nos separe" parecessem um pouco proféticos demais.

Rachel e Doug decidiram passar a lua de mel visitando um amigo e viajando pela Guatemala, que pouco antes havia sido devastada pela guerra. Não havia conflitos na época da viagem, mas os dois ouviram tantas histórias sobre esquadrões da morte que chegaram a pensar que talvez devessem ter ido ao Havaí ou seguido num cruzeiro, como a maioria dos recém-casados. Eles também não tinham muito dinheiro, pois Rachel ainda cursava Medicina e Doug trabalhava em seu primeiro emprego depois da faculdade.

Durante uma aventura, eles decidiram escalar até o topo de um vulcão próximo, que felizmente não entrou em erupção, mas a caminhada, muito íngreme, acabou sendo exaustiva e a descida foi escorregadia. Depois de caminhar muitos quilômetros em altitude elevada, Rachel desmoronou na canoa, e foi apenas o desejo de Doug de provar sua masculinidade à esposa que lhe deu forças para remar com braços exaustos pelo vasto lago até o alojamento.

Em outra ocasião, eles decidiram cavalgar pela selva, o que resultou num galope perigosíssimo por entre trepadeiras baixas e galhos de árvores com espinhos. Por fim, aconteceu a aventura de espeleologia no rio, durante a qual eles tinham que carregar velas acesas na boca enquanto nadavam pela água gelada até as profundezas de uma caverna escura. Depois de uma hora nadando, com as velas já apagadas, os dois foram instruídos a pular no breu com a garantia de que um lago esperava por eles 6 metros abaixo. Foi um dos saltos no escuro mais assustadores que já fizeram. Eles decidiram que era como o próprio casamento, deram as mãos e pularam.

Depois da lua de mel, os desafios da vida a dois pareceram bastante administráveis. Ambos enxergam o casamento como se fosse uma montanha emocionante que desejam escalar e buscam constantemente novas experiências e aventuras. A busca pelo novo sempre acrescentou um elemento de excitação ao relacionamento, ajudando-os a ver a vida inteira juntos como uma façanha. Nem todas as aventuras resultaram numa experiência de quase morte, mas eles sentiam que enfrentar novos desafios ou experiências ajudou a manter viva a centelha da paixão. "Quando enfrentamos um desafio juntos parece que isso aumenta nossa união e faz com que a gente continue dando valor um ao outro", diz Doug.

O FENÔMENO CHRISTIE BRINKLEY
Estreitar os laços com alguém depois de enfrentarem juntos um desafio ou passarem por uma experiência perigosa não é algo que acontece apenas com Doug e Rachel. Pesquisas mostram que a resposta fisiológica ao medo é, de certa forma, semelhante à resposta fisiológica à excitação. Palmas das mãos suadas, batimentos cardíacos acelerados ou quaisquer outros sintomas de medo e ansiedade podem ser atribuídos erroneamente à atração sexual. Você não precisa arriscar a vida para se sentir renovado em seu relacionamento. Experimente andar de montanha-russa, assistir a um filme de terror ou fazer qualquer outra atividade a dois que inspire medo em você ou em seu par – e veja como se sentem mais próximos depois disso.

Todos nós já lemos histórias de pessoas que se apaixonaram depois de superarem juntas um desastre natural ou a queda de uma aeronave. Pense na supermodelo Christie Brinkley, que sofreu um acidente de helicóptero com um homem atraente que não era seu marido. Pouco depois de sobreviver ao acidente no topo de uma montanha no Colorado, ela se divorciou e declarou que estava apaixonada pelo belo homem. O casamento-relâmpago com seu companheiro de sobrevivência durou apenas sete meses.

Os cientistas sabem que a parte do cérebro que nos leva a sentir medo – a amígdala direita – está ligada à parte do cérebro relacionada à excitação sexual (talvez agora você entenda por que adolescentes gostam tanto de filmes de terror). Medo e excitação estão tão intimamente ligados que nem Billy Joel foi poupado quando sua esposa caiu no topo de uma montanha na companhia de outro homem. Há também um fator hormonal em jogo quando embarcamos numa aventura nova ou emocionante: um pequeno coquetel de dopamina, norepinefrina e feniletilamina (FEA). A FEA é o coquetel químico que produz a euforia natural que você sente quando se apaixona. É o que faz você ser capaz de ficar acordado a noite toda conversando, em vez de dormir. Os níveis de FEA também aumentam com atividades de alta intensidade, como paraquedismo (ou também consumindo certas drogas ou grandes quantidades de chocolate). Muitas vezes lamentamos a perda daqueles dias e noites apaixonados, quando nossa energia para o outro não tinha limite, mas nosso corpo acaba desenvolvendo uma tolerância aos efeitos da FEA (de uma forma parecida com o que acontece com a cafeína e outras substâncias), e isso muitas vezes é confundido com o fim do amor. Não é. Ao nos comprometermos a entender nossa necessidade de aventura e exploração contínua com o nosso par, podemos reativar o coquetel hormonal do amor a qualquer momento.

AVENTURANDO-SE JUNTOS

Nossa necessidade de aventura e diversão nunca desaparece. Pode ficar adormecida ou hibernar, mas ainda é uma necessidade humana fundamental que está sempre esperando ser reconhecida.

Você pode se fazer estas perguntas simples para descobrir se seu relacionamento está sofrendo com a falta de aventura:

- » Quando foi a última vez que me senti animado ou instigado na companhia do meu par?
- » Quando foi a última vez que fizemos algo novo juntos?
- » Quando foi a última vez que tive a sensação de que algo maravilhoso estava prestes a acontecer?

Um sinal de que falta aventura é quando um dos dois ou ambos buscam alternativas à liberação de dopamina e acabam buscando diversão e aventura (isto é, dopamina) consumindo açúcar, chocolate, junk food ou até mesmo álcool, medicamentos, drogas e outras substâncias legais ou ilegais que alteram a mente.

Relacionamentos em que não há nenhum tipo de aventura, seja compartilhada ou individual, são acometidos por uma espécie de torpor, de falta de vitalidade. A convivência se torna uma série de obrigações. Torna-se banal. Sem surpresas, você perde a faísca que a diversão e a aventura fornecem naturalmente.

> O casal não precisa exercitar o lado lúdico do mesmo modo para ser feliz ou manter a diversão viva no relacionamento.

Há muitas maneiras de se aventurar com alguém. Um passeio em algum lugar novo e desconhecido pode ser um microcosmo da aventura da vida. Saiam pelo mundo juntos e explorem o desconhecido – seja dando uma caminhada por uma área nova, experimentando um novo tipo de comida num restaurante, viajando para qualquer lugar (mesmo nas proximidades), fazendo novos amigos, conversando com desconhecidos aleatórios, desligando o celular por um dia ou decidindo fazer uma aula de hip-hop juntos. A novidade é o principal ingrediente, então sacudam a rotina, tentem algo diferente e explorem o que o lúdico e a aventura significam para vocês dois.

A aventura não precisa custar muito, envolver locais exóticos ou representar grande perigo. Enxergue o mundo com novos olhos e uma nova curiosidade. Quem sabe o que você vai descobrir?

Julie adora escalar montanhas. John gosta de estudar equações matemáticas. Para a sorte deles, não há correlação entre interesses comuns e felicidade conjugal. O casal não precisa exercitar o lado lúdico do mesmo modo para ser feliz ou manter a diversão viva no relacionamento. Mas vocês dois ainda têm que brincar. E compartilhar com o outro as aventuras individuais na forma de fotos, histórias e relatos do que sentiu na hora. Vocês podem ter interesses opostos quando se trata de diversão e aventura, e ainda assim ter um relacionamento que cresce e prospera. Como John e Julie fizeram com o caiaque, busquem um terreno em comum para se divertirem juntos.

Pense em como cada um de vocês gosta de brincar. Se você não brinca há algum tempo, ou se nada lhe vier à mente, pense em como você brincava quando criança. Qual era a sua maior diversão? Que tipo de brincadeira fazia você se sentir mais vivo e feliz? Quando foi a última vez que você fez isso ou algo semelhante? E o seu par?

Quando pensamos em construir uma carreira, planejar um casamento ou começar uma família, pode parecer estranho pensar em formas de se divertir juntos. Mas, como dissemos, brincar é importante ao longo da vida. O teórico Brian Sutton-Smith escreveu mais de cinquenta livros sobre o que o jogo significa na vida de crianças e adultos. Ele diz: "O oposto da brincadeira não é o trabalho – é a depressão." Quando nossa vida é infundida com brincadeiras, somos capazes de ver o absurdo naquilo que é sério e encontrar excitação na banalidade.

Um relacionamento sem brincadeiras é um relacionamento sem humor, sem paquera, sem jogos nem fantasia. Todos nós precisamos de humor, risadas e brincadeiras. Romance é brincadeira. Conversa fiada é brincadeira. Caminhar é brincadeira. Você não precisa se juntar a uma liga esportiva ou ter muito tempo livre na semana. Basta lançar mão do espírito lúdico em qualquer coisa que esteja fazendo. Brincar precisa ser prioridade. Não cometa o erro de pensar que, depois de terminar todo o trabalho, vocês vão se divertir. Isso não vai acontecer. Se parecer estranho no início, programe a brincadeira na sua lista semanal de tarefas a serem cumpridas. Precisa fazer as compras de supermercado? Faça disso um jogo com o seu par. Pagar as contas mensais? Tentem flertar um com o outro enquanto organizam os boletos. A felicidade de cada pessoa e de cada casal não consiste em não ter experiências ruins, mas em gerar constantes experiências prazerosas. Lembre-se da importante proporção entre experiências positivas e negativas durante a interação sem conflito: vinte experiências positivas para cada negativa. Brincar também é uma forma de fazer isso. Ninguém quer acabar no lado errado das estatísticas de divórcio e, como diz Stuart Brown, quando você "tira da mistura o lado lúdico, um relacionamento se torna um teste de sobrevivência". Não soa muito romântico, concorda? O espírito brincalhão é atributo tão necessário quanto a fidelidade para manter um vínculo vital e próspero.

Exercício
PURA DIVERSÃO

Leia esta lista antes do encontro. Circule todos os itens que possam proporcionar diversão e aventura ao casal e, em seguida, marque os três que você gostaria de fazer primeiro. Se vocês forem pessoas aventureiras, podem até experimentar todos os itens da lista, um por semana. Também deixamos algumas linhas em branco para que você preencha com suas próprias ideias.

- Dar uma voltinha ou uma longa caminhada.
- Pegar o carro e passar o fim de semana em algum lugar que ambos queiram conhecer.
- Planejar um piquenique.
- Jogar um jogo de tabuleiro ou baralho.
- Conhecer um videogame novo.
- Sair para comprar um carro novo, antiguidades, roupas novas – qualquer paixão compartilhada.
- Planejar um almoço ou jantar para amigos.
- Testar uma receita nova.
- Conhecer um novo restaurante ou experimentar comidas diferentes.
- Brincar de pique.
- Aprender um novo idioma (ou pelo menos algumas frases).
- Falar com sotaque estrangeiro enquanto fazem qualquer coisa.

- Sair para pedalar ou alugar uma bicicleta para dois.
- Andar de patins ou fazer patinação no gelo.
- Alugar uma patinete elétrica.
- Sair de barco, canoa ou caiaque.
- Ir a uma livraria e folhear as obras de uma seção pouco explorada.
- Visitar a vida selvagem: observar pássaros ou baleias, ir ao zoológico local ou ao aquário.
- Aprender um novo esporte.
- Assistir a uma apresentação ao vivo: peça, musical, comédia stand-up ou de improviso, circo, dança – o que for divertido.
- Fazer uma aula de performance, como improvisação, atuação, canto ou comédia stand-up.
- Ler juntos um livro de piadas ou de poemas. Ou alternar a leitura de uma piada e um poema.
- Sair para dançar.
- Pescar.
- Ir a um show de música.
- Criar uma playlist com as músicas que vocês ouviam no início do namoro para dançar ou curtir juntos.
- Malhar juntos.
- Ir a um evento esportivo e torcer pelo mesmo time.
- Ir a um spa e divertir-se na banheira de hidromassagem ou na sauna.

- Tocar instrumentos musicais juntos.
- Cantar alto uma música que ambos conheçam.
- Ir a uma galeria de arte ou museu.
- Fingir que são espiões no shopping ou na cidade.
- Ir a uma degustação de vinhos, cervejas ou chocolates.
- Subir em uma colina, montanha ou árvore acessível.
- Contar histórias sobre os episódios mais embaraçosos ou divertidos da vida de cada um.
- Treinar escalada.
- Saltar de um trampolim.
- Ir a um parque temático ou de diversões.
- Brincar na água: natação, esqui aquático, surfe, stand-up paddle, vela.
- Marcar um encontro em algum lugar e fingir que não se conhecem e estão se encontrando pela primeira vez. Flertar e tentar seduzir um ao outro.
- Colorir, desenhar ou pintar juntos.
- Fazer artesanato, cerâmica, aeromodelismo, roupas, fantasias, trabalhos em madeira.
- Dar uma festa improvisada e convidar todos que estiverem disponíveis no momento.
- Fazer ioga juntos.
- Aprender uma massagem para casais.
- Dar um passeio num bairro desconhecido.

- Escrever uma carta de amor um para o outro com a mão não dominante.
- Viajar de ônibus pela cidade, em vez de usar o carro.
- Ficar acordado a noite toda.
- Desligar todos os dispositivos eletrônicos durante um dia inteiro.
- Fazer uma aula de artes plásticas.
- Fazer uma aula de culinária.
- Fazer uma aula de dança.
- Chamar para um passeio um casal que vocês não conhecem muito bem.
- Iniciar uma conversa com desconhecidos sentados perto de vocês num restaurante, num banco de parque ou no metrô.
- Brincar na lama.
- Fazer mergulho livre ou numa gaiola com tubarões.
- Fazer bungee jumping.
- Fazer uma trilha, um mochilão, ou sair para acampar.
- Viajar para um país exótico.
- Fazer qualquer coisa que você sempre quis fazer, mas tinha medo de experimentar.
- _____
- _____

Namoro a jato
RESUMO DO CAPÍTULO

- »› Diversão e aventura são componentes vitais de um relacionamento feliz e bem-sucedido.

- »› Fomos projetados para brincar a vida inteira.

- »› Muitas vezes colocamos as atividades lúdicas como último item na lista de afazeres.

- »› Brincadeiras e aventuras têm relação com riscos e novidades.

- »› A necessidade de aventura está programada em nosso cérebro e faz parte do "sistema de recompensas".

- »› Quando experimentamos coisas novas, temos uma sensação prazerosa causada pelo neurotransmissor dopamina.

- »› Algumas pessoas precisam se envolver em aventuras mais radicais ou até perigosas para obter a mesma dose de dopamina que outras.

- »› Tudo bem se você e seu par tiverem noções diferentes de diversão e aventura. O fundamental é que respeitem o senso de aventura um do outro e o que isso significa para cada um.

- »› Se você não se lembra da última vez que se sentiu animado e instigado na companhia do seu par ou teve a sensação de que algo emocionante estava prestes a acontecer, você está sofrendo de falta de diversão e aventura.

- »› Faça da brincadeira uma prioridade e traga um espírito lúdico para qualquer coisa que vocês fizerem juntos.

- »› Brincadeiras criam confiança, intimidade e conexão profunda. Casais que se divertem juntos permanecem juntos.

O encontro:
DIVERSÃO E AVENTURA

TEMA DA CONVERSA
» Como cada um de nós gosta de se divertir? Qual é o papel da brincadeira e da aventura na nossa vida?

PREPARAÇÃO
» Pense em como você gosta de se divertir e que aventuras você gostaria de ter. Reflita sobre o que leu neste capítulo e sobre quaisquer ideias que tenha despertado em você. Pense se suas necessidades de diversão estão sendo atendidas. Como você gostaria de brincar com o seu par no futuro? Que aventuras compartilhadas vocês podem ter? Observe com atenção suas respostas e as do seu par. Você pode se surpreender e ser recompensado com uma pequena onda de dopamina só por cogitar novas formas de diversão a dois.

LOCAL
» Escolha algum lugar onde nunca estiveram ou use de um jeito diferente um lugar já conhecido. Experimente um parque, uma praia, o terraço, o quintal ou troque de apartamento com um amigo. Considere subir numa árvore e ter seu encontro lá em cima. Ou então na água, como numa banheira, piscina ou lagoa. Siga um carro aleatório e faça o encontro onde quer que o carro pare. Sinta-se à vontade para estabelecer seu próprio local de aventura. Seja espontâneo e curioso sobre o que pode acontecer. Tente fazer o encontro num horário atípico – no início da manhã, de madrugada, durante o horário de trabalho dos dois. Esse encontro deve ser pura novidade e empolgação. Seja criativo. Seja espontâneo.

SUGESTÕES

» Vocês podem visitar pontos turísticos ou locais pouco explorados perto de vocês (o site AtlasObscura.com oferece sugestões de passeios alternativos em várias cidades do mundo). Vocês também podem brincar de *geocaching* nas redondezas – uma espécie de caça ao tesouro para adultos – acessando geocaching.com e encontrando caixas de tesouro escondidas perto de você com a ajuda de um celular ou aparelho de GPS. [Disponível também no Brasil.]

ENCONTRO EM CASA: Escolha um lugar bonito dentro ou perto de casa. Faça um mapa do tesouro para que o seu par encontre você ou simplesmente deixe um bilhete dizendo onde você vai estar. Surpreenda a pessoa amada com um piquenique quando ela enfim encontrar você.

O QUE LEVAR

» Você deve levar a lista dos itens que circulou, incluindo as três atividades que gostaria de fazer primeiro. Esteja preparado para discutir os itens que você selecionou e as suas ideias de diversão. Veja quais itens ambos circularam, pois é aí que seus interesses lúdicos se cruzam. Se não houver itens em comum, lembre-se de que parte da aventura é entrar no desconhecido. Que atividades escolhidas pela pessoa amada você estaria disposto a experimentar?

SOLUÇÃO DE PROBLEMAS

» Fique aberto e receptivo às ideias do seu par quanto a diversão e aventura.

» Lembre-se de que a aventura envolve o desconhecido e nos tira da zona de conforto. Não ignore seus medos, mas tente não ceder a eles também.

- Pergunte ao seu par por que ele tem determinadas noções de diversão e o que isso significa para ele.
- Não tente impor que o divertimento aconteça do jeito que você quer.
- Tente identificar a empolgação na voz do seu par enquanto ele descreve as aventuras que gostaria de ter.
- Não critique nem julgue a outra pessoa por querer se divertir de um jeito diferente do seu.
- Dê um salto no escuro e acolha o desconhecido.

PERGUNTAS ABERTAS PARA FAZER NO ENCONTRO

Depois de discutir e revisar os itens circulados na lista, façam as seguintes perguntas um para o outro:

- O que significa diversão e aventura para você?
- De que brincadeiras você gostava quando era criança?
- O que mais divertiu você nos últimos anos?
- Como você acha que poderíamos nos divertir mais?
- Me conte uma história de aventura do seu passado.
- Qual foi a aventura mais recente que você fez?
- O que deixa você mais empolgado hoje em dia?
- Que aventura você acha que poderíamos fazer juntos qualquer dia desses?
- Que aventuras você quer ter antes de morrer?

PARA AFIRMAR NOSSO FUTURO JUNTOS

Leiam a seguinte afirmação em voz alta, um para o outro, mantendo contato visual.

»» ««

Eu me comprometo a tornar a diversão parte da nossa vida daqui para a frente e a me aventurar com você nas próximas duas semanas nestas três modalidades:

1. _____

2. _____

3. _____

ENCONTRO 7

Andar com fé

CRESCIMENTO E
ESPIRITUALIDADE

"A gente se conheceu muito jovem", contou Erica. "Jake tinha 18 anos e eu, 16. Todos diziam que não continuaríamos juntos. 'Ninguém fica com o primeiro amor, nunca dá certo.' Perdi as contas de quantas vezes ouvi isso."

Hoje Jake tem 32 anos e Erica, 30.

"Passei quase metade da minha vida com ela. Eu era um rebelde quando ela me conheceu. Arrogante por fora, mas muito inseguro por dentro", contou Jake. "Sou uma pessoa totalmente diferente agora, e ela não saiu do meu lado em momento algum."

"Você não está totalmente diferente", rebateu Erica. "Mudou muito, é claro, mas a pessoa que você se tornou é a pessoa que eu vi debaixo de toda aquela arrogância."

Jake e Erica estão casados há seis anos. "Somos jovens velhos", brincou Erica. "Já passamos por tudo. Não consigo nem imaginar como será o resto da nossa vida, mas acho que, depois de passar por tantas transformações no início, não será um choque se mais tarde um dos dois quiser fazer alguma loucura, entrar para um mosteiro ou sair viajando sozinho pelo mundo."

"Não somos as mesmas pessoas que éramos no início do namoro e sabemos que daqui a cinco anos também estaremos diferentes", acrescentou Jake. "É emocionante ver quem estamos nos tornando... e ver que nos apoiamos à medida que mudamos e crescemos. Estamos nesse processo constante de conhecer a nós mesmos e um ao outro."

Quando Erica conheceu Jake, ele era um típico "bad boy". "Tinha uma ficha de delinquente juvenil. Ele odiava autoridade. Parecia um menino perdido com raiva do mundo. Não era como os outros garotos com quem eu havia saído e, claro, meus pais o odiavam e tentavam nos manter separados, mas isso só me deixava mais interessada nele. Hoje em dia eles o adoram, mas demoraram muito para se acostumar. Anos e anos. Agora meu pai liga para ele pedindo conselhos. É uma loucura como todos os nossos relacionamentos mudam quando a gente também muda."

Jake está sóbrio há dez anos, depois de lutar contra o uso abusivo de álcool e drogas recreativas. "Precisei olhar para mim mesmo, encontrar algum propósito e significado na minha vida, porque tudo o que eu tinha era raiva, álcool e maconha. Quando larguei tudo isso, eu não sabia quem eu era. Fiz terapia e entrei em grupos de Doze Passos. Eu creio num poder superior – que não é Deus, mas é parecido, eu acho. Sou espiritualizado. Comecei a meditar e a orar, mas gosto de pensar nisso como uma conversa com o Universo. Não importa realmente se é Deus ou não. O que importa é que creio num poder superior e naquilo que chamo de "eu superior". Por baixo de toda aquela arrogância eu tinha medo da vida. Se Erica não tivesse me dado uma espécie de ultimato quando fiz 21 anos, provavelmente teria perdido muito que a vida tem a oferecer. Com toda a certeza teria perdido a oportunidade de estar com ela, e eu nunca teria desenvolvido meu trabalho com jovens em situação de risco. Eu não era o tipo de pessoa capaz de orientar ninguém. Posso dizer com sinceridade que sou uma pessoa espiritual – e meu trabalho é um serviço para os outros, tem um significado. Definitivamente não foi essa pessoa que Erica começou a namorar."

Erica diz que, no começo, foi difícil confiar naquele Jake

recém-sóbrio. "Eu não sabia ao certo quem era a pessoa real. Ele era aquele cara sóbrio, pensativo e introspectivo que estava sempre ajudando os outros? Ou era o cara arrogante, sempre descontrolado, que só queria viver o momento? Eu me apaixonei pelos dois Jakes", disse Erica. "Ele mudou tanto dos 21 anos para os 25 que comecei a me perguntar se ele me deixaria para trás. Ele realmente me inspirou a olhar para o que importava na minha vida e no meu trabalho. Tivemos muitas conversas sobre como queríamos viver essa vida que nos foi dada, e isso nos aproximou muito. Quando nos casamos, um amigo fez a cerimônia e prometemos sempre acolher o outro exatamente como ele era. É uma espécie de missão que nos permite experimentar coisas novas, testar diferentes maneiras de ser." Erica conta que começou a meditar por causa de Jake. "Até fiz um retiro de meditação em que fiquei sem falar, escrever ou ler por dez dias seguidos. Eu tive que enfrentar todos aqueles pensamentos agitados, todas as minhas inseguranças e dúvidas. Foi fantástico. Decidi desistir do meu trabalho com marketing – um emprego que eu fingia amar porque era numa grande empresa de tecnologia. Precisei renunciar a um ótimo salário. Resolvi seguir a arte. Comecei a pintar. E Jake concordou porque sabia quanto aquilo era importante para mim. Nós fomos morar num conjugado. Abrimos mão da TV a cabo. Mudamos muitas coisas e conversamos a cada passo do caminho. Eu sinto que juntos somos uma força, e não há nada que nenhum de nós possa fazer ou mudar que o outro não apoiaria. Isso torna nossa vida interessante. Não queremos ter filhos, então seremos só nós dois explorando essa vida louca e tudo o que ela pode significar."

"É algo profundo", disse Jake. "Não há outra maneira de explicar. A vida e a espiritualidade, o crescimento e a mudança transformaram-se nesta emocionante aventura para nós."

"A melhor vida de todas", acrescentou Erica. "Não temos dinheiro, mas acho que quantia nenhuma chegaria perto de alcançar o que temos. A gente tem significado. E isso é tudo."

Coisas incríveis acontecem num relacionamento quando o casal pode crescer, mudar e acomodar esse crescimento. A soma é maior que as partes, e relacionamentos podem ser mais do que a união de duas pessoas – podem ser histórias de transformação e de grande contribuição e significado no mundo.

> Relacionamentos podem ser mais do que a união de duas pessoas – podem ser histórias de transformação e de grande contribuição e significado no mundo.

COMPARTILHAR SIGNIFICADOS

Em todo relacionamento, como na vida, a única constante é a mudança. O importante é como cada um acomoda o crescimento do outro. As pessoas crescem num relacionamento encontrando perspectivas diferentes. Seu par não verá o mundo da mesma maneira e não terá sempre as mesmas necessidades que você. É claro que a mudança espiritual, ou qualquer outro tipo de mudança, pode ser fonte de conflito. Mas, nos relacionamentos, o conflito é a maneira como crescemos, e precisamos acolhê-lo como um meio de aprender a nos amar mais e entender aquela pessoa de mente tão diferente da nossa. Quando chegamos a esse entendimento, crescemos individualmente, e nosso relacionamento cresce junto.

Aqui está a chave para um amor que dura a vida inteira.

O objetivo não é tentar fazer com que a outra pessoa seja como você. O objetivo é aprender e se beneficiar das suas diferenças.

A vida pode ser uma luta. Os relacionamentos podem ser uma luta.

Vocês criam significado quando enfrentam juntos cada uma das dificuldades inevitáveis da vida, avançam e crescem em meio a elas.

Ao criar significado para a luta, vocês permanecem juntos.

Pesquisas sobre casamento mostram que o relacionamento é melhor quando o casal o considera sagrado.[12] Nessa mesma linha, outro estudo também mostrou que, quando as pessoas sentiam que o sexo entre elas era sagrado ou santificado por sua religião, o sexo era mais frequente, melhor e mais duradouro, e o casal relatava maior satisfação conjugal.

É interessante notar que diferenças religiosas não são um grande motivo de conflito entre um casal. De acordo com o Pew Research Center, compartilhar a mesma crença religiosa é menos importante do que ter os mesmos interesses, estar satisfeito com o sexo e dividir o trabalho doméstico.[13] Quanto mais significado compartilhado você puder encontrar ou criar, mais profundo, rico e gratificante será seu relacionamento.

Então, como criar significado? Como tornar nosso relacionamento sagrado? Fazemos isso compartilhando propósitos e criando nossos próprios rituais de conexão.

Os rituais que vocês criam na vida a dois são importantes para mantê-los conectados. Um dos rituais que esperamos que vocês criem é, claro, um encontro especial toda semana. Vocês também podem criar minirrituais para quando se despedirem e se reencontrarem – como o beijo de seis segundos. Pense em maneiras de celebrar os triunfos na vida, grandes ou pequenos. O que seria especial para vocês dois? Pense em criar rituais em torno de perdas, contratempos, má sorte, fadiga. Como vocês poderiam se apoiar melhor? Pense em rituais com amigos, em rituais de aniversário e outras comemorações. São quase infinitas as maneiras de criar significados que conectem o casal. Seja criativo e autêntico, levando em conta o que o outro valoriza. Contar como foi seu dia pode ser um ritual de conexão. Com um pouco de tato, tente descobrir o que está estressando ou amedrontando a outra pessoa. Criar um espaço seguro para compartilhar seu mundo interior é um ritual de conexão. A cada momento que estão juntos, e mesmo quando não estão, vocês têm a oportunidade de honrar tudo o que é sagrado em seu relacionamento – independentemente de como vocês o definam.

CRESCER E MUDAR

Você acolhe o crescimento e a mudança no seu relacionamento quando faz com que seu par se sinta seguro em compartilhar o desconhecido e quando mostra interesse genuíno no seu crescimento. Quando pessoas crescem, relacionamentos crescem. Quando pessoas se transformam, relacionamentos se transformam.

Exercício
QUESTIONÁRIO DE SIGNIFICADOS COMPARTILHADOS

Para ter uma ideia de quão bem você e seu par compartilham um senso de significado, responda às seguintes perguntas com "Verdadeiro" ou "Falso".[14] Se uma pergunta não se aplicar ao casal (porque vocês não têm filhos ou não moram juntos, por exemplo), simplesmente pule-a, adapte-a à sua situação específica (considerando "jantar em família" como uma refeição a dois, por exemplo) ou guarde-a para uma discussão futura.

SEUS RITUAIS DE CONEXÃO

» Gostamos de seguir os mesmos rituais num jantar em família na nossa casa. ☐ V ☐ F

» Datas comemorativas (como Páscoa, Natal, Ano-Novo) são momentos muito especiais e felizes para nós dois (ou então ambos odiamos esses momentos). ☐ V ☐ F

» Nosso reencontro em casa, depois do trabalho, é geralmente um momento especial. ☐ V ☐ F

» Temos a mesma opinião sobre o papel da TV na nossa casa. ☐ V ☐ F

» A hora de dormir é geralmente um momento que aproveitamos para ficar juntos. ☐ V ☐ F

» No fim de semana fazemos coisas de que gostamos, juntos ou separados. ☐ V ☐ F

» Temos a mesma ideia de entretenimento em casa (receber amigos, dar festas, etc.). ☐ V ☐ F

» Temos a mesma opinião quanto a celebrações especiais

(como aniversários, datas comemorativas, reuniões de família). ☐ V ☐ F

- » Quando fico doente, me sinto cuidado e amado pelo meu par. ☐ V ☐ F
- » Espero com ansiedade nossas férias e adoro as viagens que fazemos juntos. ☐ V ☐ F
- » Passar as manhãs juntos é um momento especial para nós. ☐ V ☐ F
- » Quando fazemos uma tarefa a dois, geralmente nos divertimos. ☐ V ☐ F
- » Temos nosso próprio jeito de renovar juntos a energia quando estamos esgotados ou fatigados. ☐ V ☐ F

Agora que vocês já responderam ao questionário anterior (e principalmente se deram poucas respostas "V"), procurem criar seus próprios rituais de conexão abordando as seguintes perguntas:

- » Como podemos tornar nossas refeições um momento especial? O que significa para a gente um jantar em família? Como eram nossas refeições na infância?
- » Como deveria ser nossa despedida pela manhã antes do trabalho? Como eram essas despedidas na nossa infância? Como deveriam ser nossos reencontros?
- » Como deveria ser o momento antes de dormir? Como eram esses momentos na nossa infância?
- » O que o fim de semana significa para nós? O que significava na nossa infância? Como podemos transformá-lo em algo mais especial?

- » Como nossa família passava as férias quando éramos pequenos? Como deveríamos aproveitar as férias hoje em dia?

- » Gostamos especialmente de alguma data comemorativa? O que ela significa para nós dois? Como devemos celebrá-la este ano? Como a celebrávamos com nossa família no passado?

- » De que maneira repomos as energias quando estamos exaustos? Como podemos transformar isso num ritual significativo para nós dois?

- » Quais são nossos rituais quando alguém fica doente? Como nossa família lidava com isso no passado? Como gostaríamos de lidar com isso hoje em dia?

Exercício
QUESTIONÁRIO DE OBJETIVOS COMPARTILHADOS

Os objetivos que vocês têm para si mesmos e para o relacionamento podem ser indicadores de mudanças. Eles podem ser práticos ou profundamente espirituais, e às vezes também podem se interpor aos nossos sonhos de vida, o que vamos discutir no próximo capítulo. Por enquanto, vocês vão explorar o significado dos objetivos do casal e também dos seus objetivos individuais. Responda às seguintes perguntas com "Verdadeiro" ou "Falso". Se uma pergunta não se aplicar ao seu caso, pule-a, adapte-a à sua situação específica ou guarde-a para uma discussão futura.

SEUS OBJETIVOS

- Compartilhamos muitos objetivos na nossa vida a dois.
  ☐ V ☐ F

- Se eu olhasse para trás numa idade bem avançada, acho que concluiria que nossos caminhos se combinaram muito bem. ☐ V ☐ F

- Meu par valoriza minhas realizações. ☐ V ☐ F

- Meu par respeita meus objetivos pessoais que não estão vinculados ao relacionamento. ☐ V ☐ F

- Compartilhamos muitos objetivos para as pessoas que nos são importantes (filhos, parentes, amigos e comunidade).
  ☐ V ☐ F

- Temos objetivos financeiros semelhantes. ☐ V ☐ F

- Tendemos a ter preocupações compatíveis em relação a possíveis problemas financeiros. ☐ V ☐ F

- Nossos sonhos de vida tendem a ser semelhantes ou compatíveis. ☐ V ☐ F
- Nossas esperanças e aspirações para nossos filhos, nossa vida em geral e nossa velhice são compatíveis. ☐ V ☐ F
- Mesmo quando nossos sonhos de vida são diferentes, conseguimos encontrar um jeito de honrá-los. ☐ V ☐ F

Agora que vocês já responderam ao questionário anterior (e principalmente se deram poucas respostas "V"), procurem explorar seus objetivos e o que eles significam, conversando sobre as seguintes questões:

- Escreva seu próprio obituário. O que você gostaria que fizesse parte dele? Por quais qualidades ou realizações você mais gostaria de ser lembrado no momento de sua morte?
- Que objetivos você tem na vida, para si mesmo, seu par e seus filhos (caso os tenha)? O que você quer realizar nos próximos cinco a dez anos?
- Muitas vezes preenchemos nosso tempo com tarefas que exigem atenção imediata – vivemos apagando incêndios, por assim dizer. Mas quais são as coisas importantes em sua vida que são realmente grandes fontes de energia e prazer, embora continuem sendo adiadas ou excluídas?
- Qual é o papel da espiritualidade ou religião na sua vida? Que papel ela desempenhava na sua família quando você era criança? Como você gostaria de lidar com isso agora ou no futuro?
- Como indivíduos, vocês crescerão e mudarão com o tempo. Mais importante que compartilhar crenças e práticas sobre espiritualidade e religião é considerar o relacionamento, os rituais e os objetivos do casal como algo sagrado, espiritual e significativo.

Namoro a jato
RESUMO DO CAPÍTULO

- ››› A única constante num relacionamento é a mudança.

- ››› O importante é o modo como cada um acomoda o crescimento do outro.

- ››› Coisas incríveis acontecem num relacionamento quando o casal consegue mudar, crescer e acomodar esse crescimento.

- ››› Relacionamentos podem ser mais do que a união de duas pessoas – podem ser histórias de transformação e de grande contribuição e significado no mundo.

- ››› Ao criar significado para as dificuldades que enfrentam juntos, vocês permanecem juntos.

- ››› Pesquisas indicam que um relacionamento é melhor quando o casal o considera sagrado.

- ››› Quando pessoas crescem, relacionamentos crescem. Quando pessoas se transformam, relacionamentos se transformam.

- ››› Compartilhar significados e rituais de conexão é um modo de criar uma prática espiritual no seu relacionamento.

O encontro:
CRESCIMENTO E ESPIRITUALIDADE

TEMA DA CONVERSA
»» Como cada um de nós cresceu e mudou no relacionamento? O que significa espiritualidade para nós e como a expressamos?

PREPARAÇÃO
»» Pense no que o crescimento pessoal, a mudança e a espiritualidade significam na sua vida. Se ainda não o fez, responda aos questionários de "verdadeiro ou falso" e às perguntas sobre rituais de conexão e objetivos. Reflita sobre o que você leu neste capítulo e sobre quaisquer ideias que lhe tenham sido despertadas. Pense no que espiritualidade e religião significam para você e nos rituais que o casal tem ou deseja ter no futuro. Avalie como cada um de vocês mudou ao longo do tempo e como essa transformação mudou o relacionamento.

LOCAL
»» Para este encontro, você deve escolher um lugar que ambos considerem bonito e sagrado. Pode ser ao ar livre ou entre quatro paredes. Pode ser do lado de fora de um templo, mesquita, sinagoga ou igreja que vocês frequentem. Considere fazer o encontro num centro zen ou em outro lugar voltado à prática espiritual.

SUGESTÕES
»» O objetivo é celebrar de alguma forma a pessoa amada. Você pode, por exemplo, gravar um vídeo de homenagem ou expressar seu amor numa pequena apresentação dentro de casa ou no quintal. Separe alguns objetos que remetam ao seu par e organize-os ao redor de uma foto favorita do casal. Seja bem criterioso

nessa seleção, escolhendo coisas que realmente tenham significado para os dois.

ENCONTRO EM CASA: Se vocês optarem por homenagear um ao outro, façam o encontro diante dessas fotos e objetos. Comecem com cinco minutos de silêncio. Caso tenham experiência com meditação, podem meditar também. Se vocês costumam orar, comecem com cinco minutos de oração. Esse encontro deve ser um momento sagrado e significativo para ambos.

O QUE LEVAR

» Cada um deve levar as respostas aos exercícios deste capítulo. Esteja preparado para discuti-las com o seu par.

SOLUÇÃO DE PROBLEMAS

» Ouça humildemente e com interesse o que o outro tem a dizer sobre crescimento e espiritualidade.

» Mantenha a mente aberta e evite fazer julgamentos.

» Se não entender alguma questão, pergunte.

» Caso você se sinta ameaçado ou intimidado por algo que seu par estiver dizendo, verbalize isso, em vez de simplesmente pedir que ele mude de assunto.

» Lembre-se de que não existe certo ou errado. Ponha sempre a felicidade e o entendimento na frente da vontade de estar com a razão.

PERGUNTAS ABERTAS PARA FAZER NO ENCONTRO

Depois de discutir e revisar os exercícios, façam um ao outro as seguintes perguntas:

» Quando você era criança, sua família celebrava o sagrado?

Como isso fazia você se sentir? Vocês eram religiosos? Se eram, como praticavam essa religião?

» O que você considera sagrado e por quê?

» O que ajuda você a enfrentar os momentos mais difíceis?

» O que você faz para encontrar paz em si mesmo? Qual é a sua fonte de paz?

» De que modo sua espiritualidade ou suas crenças religiosas mudaram ao longo da vida?

» Em que áreas você sente que teve maior crescimento?

» Em que década você mais cresceu como pessoa? Quais foram essas mudanças?

» Que crenças espirituais você quer passar para nossos filhos (se for o caso)?

» Como posso apoiar você nessa jornada pessoal?

» Como você se sente ao buscar evoluir ou se desenvolver como pessoa?

PARA AFIRMAR NOSSO FUTURO JUNTOS

Leiam a seguinte afirmação em voz alta, um para o outro, mantendo contato visual.

»» ««

Eu me comprometo a crescer e aprender ao seu lado, compartilhando significados no nosso relacionamento. Também me comprometo a seguir com você estes três rituais de conexão:

1. _____

2. _____

3. _____

ENCONTRO
»» 8 ««

Uma vida inteira de amor

SONHOS

Keisha e Alex acham difícil falar sobre seus sonhos.

– Como separar sonho e trabalho? – refletiu Alex. – Claro, eu adoraria ser artista, mas temos contas a pagar. Quantos artistas podem sustentar uma família? Quantas pessoas podem realmente ganhar a vida perseguindo seus sonhos? Acho o assunto meio desconfortável.

Keisha ponderou um pouco:

– Mas você não pode simplesmente desistir dos seus sonhos. Se me disser que quer mesmo ser artista, posso ajudá-lo a encontrar tempo para fazer arte. Posso assumir mais tarefas aos domingos enquanto você pinta. Mas como posso oferecer apoio se eu não souber que o seu sonho é esse? A gente pode começar aos poucos. Você poderia exibir seus quadros num café ou coisa parecida, e eu poderia escrever as sinopses de cada obra.

– Talvez eu pudesse mesmo dedicar algumas horas a isso nas manhãs de domingo. Mas é possível que eu seja um fiasco. Não pinto há anos.

– Se isso é importante para você, quero apoiá-lo – disse Keisha. – Somos uma equipe.

– E você? Qual é o seu sonho?

– Não sei. – Keisha pensou por um instante. – Acho que gostaria de visitar Machu Picchu um dia. Sempre foi um sonho meu. Tem algo naquele lugar que realmente me encanta. E eu queria praticar de novo algum esporte coletivo. Não faço parte de um time desde o ensino médio, e eu era uma atleta e tanto. Talvez eu possa participar de uma liga recreativa de futebol. Isso é meio que um sonho meu, além de recuperar a forma. É difícil encontrar tempo quando se trabalha tanto.

– Viu só? – disse Alex. – O trabalho é um exterminador de sonhos.

– De fato ninguém vai me pagar para entrar em forma ou jogar bola. Mas vamos encontrar um jeito de realizar nossos sonhos. Pensar nisso até que é empolgante.

Como discutimos anteriormente, não há dúvida de que o trabalho consome uma grande quantidade de tempo e energia; e, se você está vivendo do salário do mês, tentando quitar empréstimos ou se dedicando a uma carreira exaustiva, é fácil deixar de lado os maiores sonhos que você acalenta para sua vida. Já estamos comprometidos com o nosso par e com o nosso trabalho – assumir mais um compromisso com os nossos sonhos pode parecer malabarismo demais.

Mas sonhos são importantes. Os seus sonhos. Os sonhos da pessoa amada. E os sonhos que vocês têm juntos. Sonhar juntos e apoiar um ao outro na busca de sonhos individuais é tão crucial para o relacionamento quanto a confiança, o compromisso e o sexo.

No verão seguinte à desastrosa viagem anual de lua de mel em que John trabalhou dezesseis horas por dia, ele partiu com Julie mais uma vez para uma nova lua de mel. Dessa vez, John deixou todos os livros para trás. Foram andar de caiaque e se concentrar um no outro, resolvidos a conversar sobre sua vida e seus sonhos. Eles se perguntaram como poderiam honrar os sonhos de cada um. Ouviram um ao outro. Fizeram anotações.

Apesar de morarem e trabalharem juntos, ainda tinham coisas a aprender e perguntas a fazer um ao outro.

Que mudanças você prevê no seu trabalho daqui para a frente?

O que você considera emocionante na sua vida neste momento?

Quais são suas maiores preocupações com o futuro?

Como você acha que poderíamos ter mais diversão na nossa vida?

Do que você sente falta na sua rotina?

E é assim que conseguem manter um casamento tão satisfatório e duradouro, fazendo as mesmas perguntas ano após ano, lua de mel após lua de mel. É disso que trata este livro, e é esse o cerne do que eles aprenderam como profissionais e como pessoas: dedicar-se a essas perguntas é o ingrediente secreto para criar uma vida de amor. John perguntou a Julie sobre seus sonhos e isso a levou a compartilhar seu desejo de escalar o Everest. Julie perguntou a John sobre seus sonhos e isso o levou a compartilhar seu desejo de administrar um instituto de pesquisa, e então eles construíram juntos o Relationship Research Institute. Julie ampliou o sonho de John dizendo que sonhava também em ajudar casais em dificuldades pelo mundo e, consequentemente, ajudar seus filhos. Esse sonho se tornou o Gottman Institute.

Todos os anos eles imaginam e reimaginam o futuro.

Todos os anos eles imaginam e reimaginam o futuro.

Sonhar junto é um dos atos mais intensos que você pode fazer num relacionamento a dois. E respeitar os sonhos do seu par é um ótimo jeito de expressar seu sentimento, porque isso demonstra um amor profundo. Sim, vocês são leais um ao outro, mas será que também conseguem ser leais ao que é mais sagrado e importante para a outra pessoa? Quando um respeita e apoia os sonhos do outro, toda a relação fica mais fácil, pois ambos se sentem apoiados em ser e se tornar quem precisa e quer ser.

Todo mundo tem um sonho de vida ou um propósito, e você tem que estar determinado a não sacrificar esse sonho e esse propósito por conta de sua lista de tarefas diárias, seu trabalho, sua família ou até mesmo seu relacionamento.

Neste momento, para Alex, seu sonho é poder pintar e um dia viver de arte. Se isso vai acontecer ou não, só o tempo dirá. O que mais importa é que Keisha o apoia, mesmo preocupada com as contas a pagar e com o sustento da família.

REVEZAMENTO

Doug e Rachel estavam perdidamente apaixonados – viviam aquele tipo de amor desvairado, intoxicante, a ponto de passarem a noite inteira acordados apenas se olhando. O relacionamento deles era novo. Eles não aguentavam ficar separados. Então Doug soltou a bomba: "Quero passar um ano em Israel. É muito importante para mim. Tenho essa necessidade de explorar minhas raízes."

Rachel ficou surpresa, mas disse que, se era o que ele precisava fazer, então é claro que ele deveria ir. "Eu não podia atrapalhar algo que era tão importante para ele. No início de um relacionamento, um ano é muito tempo, mas eu sabia que se tratava de um sonho dele. Aquilo não tinha relação comigo."

O tempo que passaram afastados foi difícil. Quando ele

voltou, contou a ela seu novo sonho: ir para Nova York tentar carreira no mundo editorial. Rachel, por sua vez, estava apenas começando a faculdade de Medicina, a mais de 4 mil quilômetros de Nova York. Doug relembra: "Naquele ponto tivemos que conversar sobre nossos sonhos, porque eles estavam nos separando geograficamente e tive medo de que nos separassem emocionalmente também."

Doug decidiu desistir de Nova York e se mudou para onde Rachel estudava. Quando tiveram seu primeiro filho, Doug reduziu sua carga horária no trabalho e assumiu a maior parte dos cuidados com o bebê. "Por fim, decidimos que nosso relacionamento, o que ele significava, era nosso sonho mais importante."

Trinta e um anos depois, Rachel diz que o que a faz se sentir amada é ver Doug respeitando seus sonhos de um jeito tão maravilhoso. Ela completa: "O que aprendemos é que cada um pode realizar todos os seus sonhos. Mas não dá para fazer tudo ao mesmo tempo. Aprendemos a nos revezar e a nos apoiar mutuamente, não importa o que aconteça."

Quando Rachel quis ter outro filho e acabou dando à luz gêmeos, Doug se dispôs a trabalhar em dois empregos e se deslocar várias horas por dia para sustentar seu sonho de família (a mãe dela também foi morar com eles por seis meses para ajudar nos cuidados com as crianças). Quando Doug quis deixar a editora onde trabalhava para começar sua própria agência literária, com o objetivo de ajudar visionários a criar um mundo mais consciente, saudável e justo, Rachel o apoiou, embora não houvesse qualquer modelo para uma agência desse tipo nem garantia alguma de êxito. Rachel se dispôs a trabalhar horas extras numa clínica de pronto atendimento para que Doug pudesse ir em busca de seu sonho até que a agência estivesse prosperando.

Quando Rachel quis deixar o emprego estável e o salário certo para abrir sua própria clínica, Doug a apoiou – outro empreendimento arriscado, do ponto de vista financeiro. Quando ela acabou fechando a clínica porque era grande e tinha demandas demais, ele não a encorajou a voltar para uma clínica tradicional pois sabia que isso a deixaria arrasada. Em vez disso, ele a encorajou a tentar de novo, e foi o que ela fez. Mais sábia e mais experiente, ela abriu um próspero consultório médico que hoje alimenta sua alma.

Quando Doug quis realizar o antigo sonho de escrever um romance, Rachel o apoiou, mesmo quando ele ficava acordado até tarde e se levantava cedo para escrever. Mesmo quando passava os fins de semana longe da família. Eles concordaram em viver com o mínimo necessário enquanto cada um perseguia seus sonhos, porque sabiam que realizá-los era mais importante do que ter uma casa enorme ou um carro de luxo. Doug e Rachel sempre sentiram que, mais do que satisfazer suas próprias necessidades, o mais importante no casamento era que apoiassem um ao outro, para que cada um pudesse presentear o mundo com sua vocação. Em suma, eles se revezaram, se sacrificaram e se apoiaram para realizar seus sonhos pessoais e os sonhos coletivos com os quais sentiam que precisavam contribuir.

Todo mundo faz sacrifícios, mas você não pode desistir dos seus sonhos. Não é possível reprimi-los. Isso pode gerar amargura, ressentimento, perda de paixão e desejo, e criar uma enorme distância no relacionamento. Como parceiros, devemos nos ajudar a encontrar uma maneira de canalizar e perseguir nossos sonhos, sejam eles profissionais ou recreativos. Isso mantém a paixão, a essência e a vivacidade em cada pessoa e em cada relacionamento.

E ninguém quer estar ao lado de uma pessoa meio viva. O

objetivo é estar num relacionamento e manter-se fiel aos seus sonhos. Procure realizá-los. E compartilhe-os com o seu par.

O objetivo é estar num relacionamento
e manter-se fiel aos seus sonhos.

PARA CRIAR UM TIME DOS SONHOS

Seu par tem sonhos que você não conhece, alguns enraizados na infância. Pode ser que você e seu par tenham desejos que chamamos de sonhos "profundos". Listamos no exercício a seguir aqueles que encontramos com mais frequência na prática profissional.

Cada um dos seus sonhos "profundos" é importante e bonito, e precisa ser compartilhado com o outro. Se você sonha com viagem e aventura e seu par anseia por uma jornada espiritual, pode haver aí um alinhamento (uma viagem juntos para Jerusalém, a Índia ou outro lugar sagrado) ou um conflito. A lição mais importante é não esconder esses anseios. Se o seu sonho é ser mais poderoso, compartilhe isso com a pessoa amada. Se o seu sonho é construir algo importante, converse com ela sobre isso.

Quando escondemos nossos sonhos, grandes ou pequenos, escondemos a parte mais importante de nós mesmos. Bloqueamos a intimidade e a conexão. Um sonho é algo que você deseja e, se não compartilhar esse desejo, o conflito acontecerá. O sonho não desaparece quando o reprimimos. Ele continua dentro de nós e despontará como um conflito, muitas vezes de grande proporção – o que chamamos de impasse. A melhor maneira de evitar isso é ser aberto e honesto sobre todos os seus sonhos, do menor ao maior deles. É respeitar e honrar os sonhos do seu par, mesmo quando eles são diferentes dos seus. Se a pessoa amada sonha escalar o Everest, não fale sobre o tempo e o dinheiro que isso vai custar. Procure saber por que ela tem esse sonho. Pergunte o que esse sonho significa. Pergunte como se sentirá ao realizá-lo. Há uma história por trás de cada sonho que você e seu parceiro têm. Ouçam as histórias um do outro.

Sonhem juntos.

Imaginem juntos.

Em equipe, vocês podem tornar possíveis os sonhos mais improváveis.

O mundo precisa que você realize seus sonhos. É nessa realização que encontramos nossa maior alegria e descobrimos os dons singulares que temos para compartilhar com o mundo.

Exercício
NÍVEIS DE SONHOS

Leia a seguinte lista de sonhos profundos e veja se você se identifica com algum deles. Pode ser que eles inspirem você ou despertem um sonho esquecido.

1. Circule os sonhos que você tem ou descreva-os com suas próprias palavras nas linhas em branco. Prepare-se para compartilhar esta lista com o seu par durante o encontro.

2. No diagrama da página 216, escreva no círculo central (Sonho 1) um grande sonho seu (ou no máximo três) que seja o mais importante de todos. No círculo do meio (Sonho 2), escreva outro grande sonho que você tenha, embora seja um pouco menos importante. Já no círculo externo (Sonho 3), escreva um sonho que você adoraria realizar, mas do qual poderia abrir mão com mais facilidade. Circule a seguir os três sonhos mais importantes para você.

- Ter mais liberdade
- Viver em paz
- Viver em comunhão com a natureza
- Explorar quem eu sou
- Partir em grandes aventuras
- Empreender uma jornada espiritual
- Lutar por justiça
- Ser merecedor de honra
- Curar meu passado

- Curar os outros
- Formar uma família
- Explorar todo o meu potencial
- Ser poderoso e influente
- Envelhecer bem
- Explorar meu lado criativo
- Ajudar os outros
- Conquistar a maestria
- Explorar uma parte antiga e perdida de mim
- Vencer um medo
- Ter senso de ordem
- Ser mais produtivo
- Conseguir relaxar de verdade
- Refletir sobre minha vida
- Concluir algo importante
- Aprimorar meu físico ou me tornar um atleta
- Competir e vencer
- Viajar pelo mundo
- Fazer as pazes ou pedir perdão a Deus ou a outra pessoa
- Construir algo importante
- Encerrar um capítulo da minha vida despedindo-me de alguma coisa

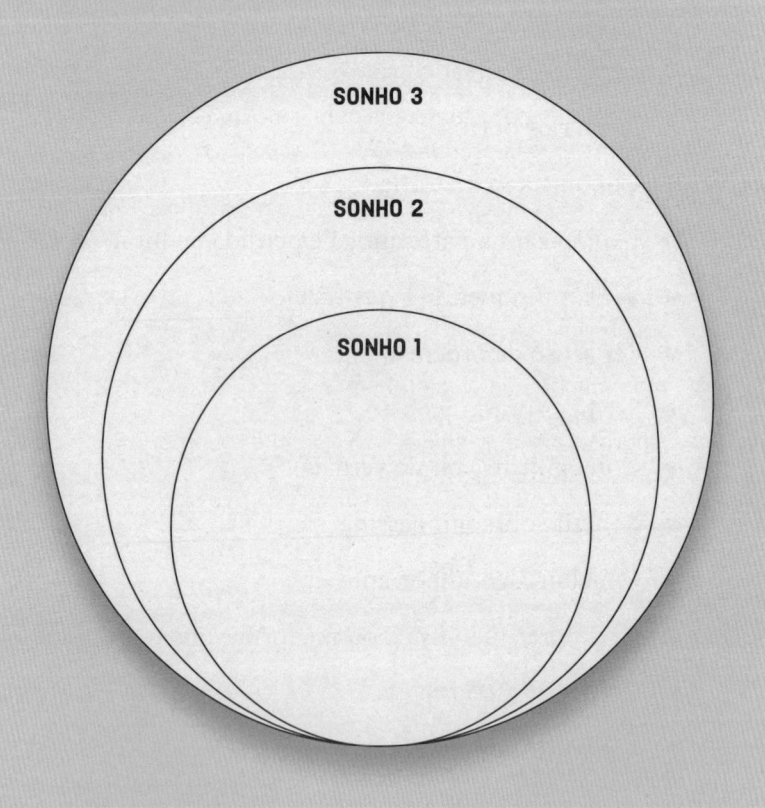

»» _____
»» _____
»» _____
»» _____

SONHO 3

SONHO 2

SONHO 1

Namoro a jato
RESUMO DO CAPÍTULO

- ›› Honrar os sonhos um do outro é o ingrediente secreto de um amor para a vida inteira.

- ›› Seu relacionamento é um sonho em si, mas você e seu par têm outros sonhos individuais que também são importantes.

- ›› Vocês podem realizar todos os sonhos um do outro, mas isso raramente acontece ao mesmo tempo. Sacrifícios podem ser necessários.

- ›› Honrar os sonhos do seu par é um jeito poderoso de demonstrar seu amor por ele.

- ›› Quando os sonhos são respeitados, tudo no relacionamento fica mais fácil.

- ›› Todo mundo tem um sonho ou um propósito na vida.

- ›› Ninguém deve sacrificar esse sonho ou propósito em nome do relacionamento.

- ›› Vocês não podem honrar os sonhos um do outro se eles não forem compartilhados.

O encontro:
SONHOS

TEMA DA CONVERSA
» Quais são nossos sonhos mais profundos? De que modo temos ajudado um ao outro a realizar esses sonhos? Como sonhamos juntos?

PREPARAÇÃO
» Reflita sobre o que você leu neste capítulo e sobre quaisquer ideias que tenha lhe despertado. Pense no que significa, para você, honrar os sonhos um do outro. Complete o exercício e prepare-se para mostrar durante o encontro os sonhos que você selecionou. Anote aqueles com os quais você mais se identifique e conte a história por trás de cada um. Explique como você espera se sentir depois de realizá-los.

LOCAL
» Escolha um lugar que inspire você e seus sonhos. Faça o encontro ao amanhecer ou ao pôr do sol, num ponto onde seja possível contemplar o horizonte. Pode ser em qualquer lugar com uma bela vista. Encontre um local que lhe traga inspiração ou desperte suas aspirações de alguma maneira.

SUGESTÕES
» Se houver algum lugar importante para um sonho que vocês compartilham (um bairro onde planejam comprar uma casa ou abrir uma padaria, por exemplo), então façam ali o seu encontro.

ENCONTRO EM CASA: A conversa pode acontecer debaixo de um cobertor, enquanto vocês olham as estrelas no terraço ou no quintal. Façam um pedido para uma estrela enquanto discutem cada sonho.

O QUE LEVAR

»» Você deve levar as respostas ao exercício e o diagrama preenchido. Se quiser, pode levar também papel e caneta para desenhar seus círculos na hora e escrever seus sonhos dentro deles. Esteja pronto para discutir suas respostas. Vá com a mente e o coração abertos.

SOLUÇÃO DE PROBLEMAS

»» Procure não frustrar o sonho do seu par; não diga que aquilo nunca vai acontecer e não questione nem menospreze seus anseios.

»» Não se apresse em discutir os aspectos práticos antes de entender completamente cada sonho, porque isso faz com que a outra pessoa se feche e o assunto morra. Mesmo que os planos pareçam impraticáveis, não diga isso.

»» Tenha em mente que você não pode prever o futuro nem determinar o que é ou não possível.

»» Faça perguntas profundas para entender o sonho do seu par, incluindo questões da infância que possam ter originado esse sonho.

»» Investigue o significado por trás de todo sonho.

PERGUNTAS ABERTAS PARA FAZER NO ENCONTRO

Depois de discutir o exercício, façam as seguintes perguntas um ao outro:

»» Você tinha algum sonho para o futuro quando era criança?

»» Você acha que seus pais realizaram os sonhos deles?

- Seus pais apoiaram você na realização dos seus sonhos de infância?
- Por que o sonho que você escreveu no primeiro círculo é tão importante para você?
- Ele tem alguma relação com sua infância ou com seu passado? De que forma?
- Existe um propósito vinculado à realização desse sonho?
- Como você se sentiria se ele fosse realizado? E se não fosse?
- O que você pode me contar sobre seus outros dois sonhos?

PARA AFIRMAR NOSSO FUTURO JUNTOS

Leiam a seguinte afirmação em voz alta, um para o outro, mantendo contato visual.

»› ‹«

Eu me comprometo a explorar e a compreender plenamente os seus sonhos e a contribuir de alguma forma para que você realize um dos seus sonhos nos próximos seis meses.

CONCLUSÃO
»» ««

Apreciação mútua

Essas oito conversas são apenas o começo. Os tópicos abordados são os mais importantes para o seu relacionamento, estejam vocês juntos há muito tempo ou ainda planejando um futuro a dois. Não há limite, porém, para os assuntos que vocês discutirão, para o entendimento que obterão ou para o amor que cultivarão ao longo da vida. Seu objetivo deve ser manter o relacionamento em permanente crescimento e evolução. Não é possível saber tudo o que há para saber sobre alguém, e é isso que torna tudo tão excitante.

Seu relacionamento é uma grande aventura. Trate-o como tal. Seja curioso. Seja vulnerável. Esteja disposto a se aventurar fora da sua zona de conforto. Aprenda a ouvir. Seja corajoso o suficiente para falar. Compartilhe suas esperanças, seus medos e seus sonhos.

Iniciamos este livro falando de confiança e vamos terminá-lo do mesmo modo. A confiança é central para o sucesso e o fracasso de todos os vínculos. Casais cujos relacionamentos são bem-sucedidos se sentem seguros um com o outro. A confiança é o que permite que você seja vulnerável. Aumentar o grau de confiança (fortalecendo a amizade, estando presente, mantendo sua palavra) melhora seu relacionamento. Vocês não precisam ser parecidos em todos os aspectos para que o amor perdure; a maioria dos casais tem mais diferenças do que semelhanças. No entanto, você precisa ter coragem suficiente para ser vulnerável. Uma vida inteira de amor é composta de pequenos momentos e interações entre vocês dois.

Faça com que esses momentos importem.

Não se despeça pela manhã sem perguntar ao outro como será seu dia. Troquem um beijo na saída. Troquem um beijo na chegada. Brinquem juntos. Reservem um tempo para conversar sobre como foi o dia. Saiba o que está estressando a pessoa amada. Saiba o que ela aguarda com ansiedade. Honre os sonhos dos dois.

Como dissemos, os casais mais felizes expressam positividade. O amor perdura quando o casal tem uma proporção de cinco interações positivas para cada negativa durante uma briga ou conflito. No dia a dia, essa proporção é de vinte interações positivas para cada negativa. Isso significa que, para cada coisa negativa que diz para o outro, você precisa fazer ou dizer vinte coisas positivas para contrabalançar.

Em outras palavras, apreciem-se mutuamente.

A melhor maneira de se apreciarem é fazer do relacionamento uma prioridade. Dedique tempo, dedique atenção e seja intencional sobre a vida que você está construindo com a outra pessoa. Faça esses oito encontros e depois faça mais 800.

Para Ben e Leah, o casal do primeiro encontro, as conversas modificaram profundamente seu relacionamento.

Você precisa ser corajoso o suficiente para compartilhar seu mundo interior.

"Sim, já estávamos planejando nos casar, mas as conversas que tivemos nos aproximaram ainda mais, além do que eu poderia imaginar", disse Leah. "Significou muito para mim o fato de ele estar disposto a dedicar um tempo... de ele querer dedicar esse tempo... para me contar todas aquelas histórias sobre confiança, dinheiro, sonhos e família. Sinto que em meses consolidamos aquilo que algumas pessoas levam anos para criar. Uma base firme. Uma sensação de realmente estarmos ao lado um do outro, nos apoiando em tudo que está por vir e ainda nem sabemos. É emocionante. Estou mais apaixonada por ele do que nunca. Todos esses encontros foram uma aventura, e é como se estivéssemos nessa grande jornada para nos entendermos, para nos conhecermos o mais profundamente possível. O amor que temos um pelo outro é diferente agora. Mais real. Mais sólido, se é que isso faz sentido. Espero que tenhamos encontros assim para sempre."

Muitos dos casais que foram a esses encontros se surpreenderam ao constatar que se sentiam muito mais próximos depois de cada conversa. O amor que sentiam se aprofundou. E eles experimentaram um entusiasmo renovado por estarem juntos nessa jornada.

Estar num relacionamento amoroso é uma das maiores aventuras que conhecemos.

Não podemos dizer exatamente o que acontecerá com o seu, mas sabemos que, se você se comprometer a explorar esses oito tópicos, a entender todas as diferenças que há entre vocês e de fato abraçar essas diferenças, você se surpreenderá com o que é possível ser criado. A história de amor do casal é escrita toda vez que vocês se voltam um para o outro. Toda vez que vocês se reconfortam. Toda vez que vocês realmente se ouvem. Cada vez que você coloca os interesses do seu par acima dos seus.

Lembre-se de que o amor que vocês criam juntos não beneficiará apenas os dois, mas será também uma bênção para os outros. Se vocês têm filhos, seu vínculo será um legado para eles. Seu amor influenciará o modo como seus filhos e netos amarão alguém no futuro. O amor criado agora continuará por gerações.

Seu amor também será um modelo para outros casais. Nosso casamento e nossa família são nada menos do que os alicerces da sociedade. Quando as relações são felizes e saudáveis, nossa sociedade também é. Você pode usar as habilidades que aprendeu neste livro – como fazer perguntas que importam, como ouvir e como entender os outros e abraçar as diferenças – e aplicá-las nos relacionamentos com amigos, parentes, colegas de trabalho e até com desconhecidos. Temos sempre muito que aprender uns com os outros.

Escrevemos este livro para ajudar você, mas também o escrevemos para que você possa ajudar outras pessoas. Pouca gente recebe algum tipo de treinamento ou orientação sobre como fazer a coisa mais importante da vida, que é amar aqueles que estão mais próximos de nós. Compartilhe este livro com qualquer um que esteja tentando criar ou recriar um relacionamento. Tornar-se um mestre ou um desastre nesse quesito não afeta apenas o casal: afeta seus filhos, afeta sua comunidade e afeta nosso mundo. Agradecemos a você por ler este livro, por fazer o trabalho árduo e luminoso do amor e por contribuir para um futuro mais amoroso para todos nós.

Todo mundo merece uma vida inteira de amor.

APÊNDICE
»» ««

Mais perguntas abertas

Esperamos que você transforme os encontros semanais num ritual a ser mantido enquanto durar seu relacionamento. A seguir, sugerimos perguntas extras que vocês podem fazer um ao outro em ocasiões futuras. São apenas exemplos, e o importante é que vocês continuem se apaixonando, que nunca deixem de demonstrar interesse e nunca parem de fazer perguntas importantes um ao outro.

- Como você gostaria que sua vida estivesse daqui a três anos?
- O que você acha da nossa casa? Gostaria de mudar alguma coisa na arquitetura?
- Como você acha que seria sua vida se você estivesse vivo daqui a 100 anos?
- Que diferenças e semelhanças você tem com seus pais em relação a como criar um filho?
- Que tipo de pessoa você acha que nossos filhos se tornarão? Tem algum medo em relação a isso? Alguma expectativa?
- Como você se sente em relação ao trabalho agora?
- Qual década da sua vida você gostaria de reviver e por quê?
- Como você está se sentindo agora sobre ter filhos?
- Se pudesse voltar no tempo e mudar alguma coisa, o que você mudaria e por quê?

- O que você considera empolgante na vida neste momento?
- Se você pudesse acordar amanhã com três novas habilidades, quais seriam e por quê?
- Quais são suas maiores preocupações com o futuro?
- Quem são seus aliados e amigos mais próximos neste momento? Por quais mudanças cada um de vocês tem passado?
- Quais foram os pontos altos e baixos da sua adolescência?
- Se você pudesse viver durante qualquer outro período da história, quando escolheria viver e por quê?
- Se você pudesse escolher qualquer outra carreira ou vocação, qual escolheria e por quê?
- Se você pudesse mudar uma característica sua, qual mudaria e por quê?
- Que mudanças você percebeu em si mesmo esse ano?
- Se você pudesse viver a vida de outra pessoa, quem gostaria de ser e por quê?
- Quais são seus sonhos de vida neste momento?
- Que objetivos você tem para a nossa família?
- Se você pudesse se parecer com qualquer outra pessoa no mundo, quem escolheria e por quê?
- Como tem sido este ano para você? Quais foram os pontos altos e baixos até agora?
- Em que momento da vida você sentiu mais orgulho?
- Se você pudesse ser um craque em qualquer esporte, qual escolheria e por quê?

- Por quais mudanças você passou ao longo dos anos como mãe ou pai?
- Por quais mudanças você passou ao longo dos anos como filha ou filho?
- Por quais mudanças você passou ao longo dos anos como irmã ou irmão?
- De qual parente você se sentiu mais próximo e por quê?
- Quem é a pessoa mais difícil da sua vida?
- Se você fosse a pessoa mais rica do mundo, o que faria com o dinheiro?
- Se você pudesse se transformar em qualquer animal por 24 horas, qual seria e por quê?
- Que herói (ou heróis) você teve na infância?
- Se você pudesse passar o resto da vida em qualquer outro país, qual escolheria e por quê?
- Se você pudesse ser um artista genial, que talento escolheria e por quê?

Exercício extra para o encontro a dois
PARA VALORIZAR A PESSOA AMADA

Este é um exercício extra que você pode fazer em qualquer um dos oito encontros ou numa noite especial dedicada apenas à apreciação mútua.

Na lista a seguir, identifique todas as qualidades que se apliquem ao seu par e lembre-se de algum momento em que ele tenha exibido cada uma dessas características. Então diga a si mesmo: "Tenho muita sorte de estar com essa pessoa." No próximo encontro, revise sua lista e agradeça ao seu par por ter essas qualidades positivas, compartilhando cada um dos exemplos.

O QUE EU REALMENTE APRECIO EM VOCÊ
É O FATO DE SER TÃO:
(Lembre-se de dar um exemplo para cada item selecionado na lista.)

- Acolhedor
- Adaptável
- Alegre
- Altruísta
- Ambicioso
- Amigável
- Arrojado
- Artístico
- Astuto
- Atencioso
- Ativo

- Audacioso
- Autêntico
- Autoconfiante
- Bem-humorado
- Bem-informado
- Bem-intencionado
- Calmo
- Caloroso
- Compassivo
- Competente
- Compreensivo

- Confiante
- Confiável
- Corajoso
- Criativo
- Cuidadoso
- Curioso
- Dedicado
- Delicado
- Destemido
- Determinado
- Devotado
- Divertido
- Empático
- Engenhoso
- Equilibrado
- Escrupuloso
- Esperto
- Espiritualizado
- Estável
- Ético
- Feliz
- Firme
- Flexível
- Forte
- Franco
- Generoso
- Gentil
- Genuíno
- Grato
- Honesto
- Honrado
- Humilde
- Inteligente
- Interessante
- Intuitivo
- Justo
- Leal
- Lúcido
- Meigo
- Metódico
- Musical
- Observador
- Organizado
- Otimista
- Ousado
- Paciente
- Pacífico
- Perceptivo
- Perseverante
- Perspicaz
- Piedoso
- Ponderado

- Prático
- Prestativo
- Previdente
- Racional
- Receptivo
- Resiliente
- Respeitoso
- Responsável
- Sábio
- Sagaz
- Saudável
- Sensível
- Sereno
- Sincero
- Sociável
- Solidário
- Tolerante
- Trabalhador
- Tranquilo
- Valente
- Verdadeiro

Agradecimentos

Gostaríamos de começar agradecendo ao Relationships First, o laboratório de ideias onde nos conhecemos como casais. Esse grupo extraordinário e sem precedentes, organizado por Harville Hendrix e Helen LaKelly Hunt, reuniu especialistas motivados a educar casais antes que as dificuldades inevitáveis de um cotidiano causassem danos duradouros nos seus relacionamentos. Foi num desses encontros que surgiu a ideia de escrever um livro para ensinar aos casais as habilidades que ampliariam as chances de sucesso de uma relação. O objetivo era ajudar a formar casamentos saudáveis, que por sua vez poderiam formar famílias saudáveis, que poderiam formar sociedades saudáveis.

Queremos agradecer aos nossos amigos e colegas do Relationships First que nos apoiaram e nos encorajaram a escrever este livro: Harville e Helen, Marion e Matt Solomon, Caroline Welch e Dan Siegel, Ellyn Bader e Pete Peterson, Judith e Doug Anderson, Lillian Borges, Jeff Zweig, Tracey Boldemann-Tatkin e Stan Tatkin, Michelle Wiener-Davis e Jim Davis, Amy Banks, Joanie e Scott Kriens, Theresa e Scott Beck, Chris Brickler, Alanis Morissette e Souleye, Diane Ackerman, Jette e Rich Simon, Peggy Callahan, Bryn Freedman, Jennifer e Eric Garcia, Elizabeth e Kevin Philips, John e Jamee Stanley, Judy Jordon, Kelly

Thompson-Frater e Bob Frater, Dan Prosser, Penny George, John Douglas e Sue Johnson, e Gayle Ober.

John e Julie também querem expressar imensa gratidão à equipe do Gottman Institute, que os ajudou a levar para a casa de milhões de pessoas dados e análises até então isolados numa torre de marfim, com o objetivo de criar grandes relacionamentos em todo o mundo. Eles desejam agradecer especialmente à equipe de liderança de Alan e Etana Kunovsky, Mike Fulwiler, Jen Dalby, e Carrie e Don Cole, além de Crystal Cressey, Chris Dollard, Kaitlin Donahue, Hannah Eaton, Katelyn Ewen, Walter Guity, Kendra Han, Amy Loftis, Jennifer Loser, Amy McMahan, Said Peterson, Katie Reynolds, Becca Sangwin, Aziza Seykota e Therese Soudant. Este livro nunca teria surgido sem cada um de vocês. Também gostaríamos de agradecer a Andrew Mumm, que trabalhou com o Gottman Institute e, com seu brilhantismo tecnológico, nos ajudou a nos comunicar com os casais do nosso estudo.

Doug e Rachel gostariam de agradecer às suas equipes da Idea Architects e Santa Cruz Integrative Medicine, incluindo Mariah Sanford, Kelsey Sheronas, Julia Dunn, Katherine Vaz, Cody Love, Esme Schwall Weigand, Nina Kolbe e Glynis Taormina.

Gostaríamos de agradecer a todos os casais com quem John e Julie trabalharam ao longo dos anos no Gottman Institute, no Love Lab, em seus workshops e em seus consultórios particulares, bem como aos pacientes e casais que Rachel atendeu em seu consultório médico e em seus workshops. Em particular, gostaríamos de agradecer aos 300 casais que se ofereceram para ir aos encontros deste livro e que compartilharam suas histórias e relatos extremamente úteis sobre a experiência.

Também gostaríamos de agradecer a Mary Ellen O'Neill, nossa hábil editora, e a toda a equipe da Workman, entre eles Rebecca Carlisle, Chloe Puton, Moira Kerrigan, Emily Krasner,

Jenny Mandel, Beth Levy, Barbara Peragine e Rae Ann Spitzenberger, que tanto trabalharam para trazer este livro ao mundo. Em particular, queremos agradecer à incrível Suzie Bolotin, editora da Workman, que ajudou a incubar e dar à luz este livro durante uma gestação de elefante que durou muitos anos. Foi sua paixão compartilhada pelo livro e seu desejo de entregá-lo a seu par e seus filhos, bem como a milhões de outros casais, que ajudaram a tornar este livro uma realidade.

Acima de tudo, queremos agradecer a Lara Love Hardin e a seu marido, Sam Hardin. Lara foi nossa escritora colaborativa, que pegou nossas conversas cheias de risadas e histórias desconexas e as destilou no livro que você tem nas mãos. Ela é uma verdadeira intelectual e parceira criativa, que ajudou a refinar e aprimorar nossas ideias. É impossível expressar quão gratos e afortunados nos sentimos por termos Lara como coautora. A sabedoria de seus relacionamentos e de seu maravilhoso casamento com Sam também está incluída nesta obra. Sam é um cônjuge tremendamente solidário. Nenhum trabalho seria possível num relacionamento sem o amor e a generosidade de ambos os parceiros. Nosso muito obrigado a Lara e Sam.

Também gostaríamos de agradecer a nossos filhos, a maior realização de nosso amor. John e Julie querem expressar seu amor e gratidão à sua filha, Moriah, e ao marido dela, Steven. Como se pode imaginar, conhecer os futuros sogros quando eles são psicólogos *e* especialistas em casamento deve ter sido uma experiência assustadora para Steven. No entanto, John e Julie souberam desde o primeiro momento que Steven era o par perfeito para sua filha e adoraram celebrar sua união. Doug e Rachel querem expressar seu amor e gratidão a seus filhos, Jesse, Kayla e Eliana (e a seus futuros parceiros, sejam eles quem forem). Não há aventura maior na vida do que o casamento e a chegada dos filhos, e eles são muito gratos por terem tido a oportunidade de ser parte de uma família (amorosa, barulhenta, teimosa e divertida).

Por fim, gostaríamos de agradecer a todos os casais que leram este livro, que o compartilharam com outras pessoas e que buscam fazer do amor, da confiança e da compreensão as bases para o casamento, a família, a comunidade e o mundo que construímos juntos.

Notas

ENCONTRO 4

1. DEW, J.; BRITT, S.; HUSTON, S. "Examining the relationship between financial issues and divorce". *Family Relations*, v. 61, pp. 615-628, 2012.

2. GOTTMAN, J. *Principia Amoris: The New Science of Love*. Nova York: Routledge, 2014.

3. PEW RESEARCH CENTER. *10 Findings about Women in the Workplace*. Disponível em: pewsocialtrends.org/2013/12/11/10-findings-about-women-in-the-workplace.

4. US CENSUS BUREAU. *Current Population Survey*. DataFerrett, microdados mensais, dezembro de 2014.

5. Estatísticas baseadas em respostas combinadas de dois levantamentos do Pew Research Center, um deles conduzido de 14 a 27 de janeiro de 2010, e outro, de 6 a 19 de dezembro de 2011. Os dados foram comparados e os resultados foram similares. Eles foram combinados para aumentar o tamanho e a confiabilidade da amostra.

6. ROGERS, S. J.; MAY, D. C. "Spillover between marital quality and job satisfaction: Long-term patterns and gender differences". *Journal of Marriage and Family*, v. 65, pp. 482-495, 2003.

7. KLUWER, E. S.; HEESINK, J. A. M.; VAN DE VLIERT, E. "Marital conflict about the division of household labor and paid work". *Journal of Marriage and Family*, v. 58, pp. 958-969, 1996.

8. ABRAHAM, K. G.; FLOOD, S. M.; SOBEK, M.; THORN, B. *American Time Use Survey Data*. College Park: Maryland Population Research Center, University of Maryland; Minneapolis: Minnesota Population Center, University of Minnesota, 2011.

ENCONTRO 5

9. *Expenditures on Children by Families, 2013*. Disponível em: cnpp.usda.gov/sites/default/files/expenditures_on_children_by_families/crc2013.pf.

10. WALDMAN, A. "Truly, Madly, Guiltily". *The New York Times*, 27 de março de 2005.

11. www.celf.ucla.edu.

ENCONTRO 7

12. STAFFORD, L. "Marital sanctity, relationship maintenance, and marital quality". *Journal of Family Issues*, v. 37, 2016.

13. PEW RESEARCH CENTER. *2014 Religious Landscape Survey*. Disponível em: pewforum.org/2016/10/26/religion-in-marriages-and-families.

14. Este questionário apareceu pela primeira vez em outro livro de John Gottman, *The Seven Principles for Making Marriage Work*, Three Rivers Press, 1999 (Ed. bras.: *Sete princípios para o casamento dar certo*, Objetiva, 2000).

CONHEÇA ALGUNS DESTAQUES DE NOSSO CATÁLOGO

- Augusto Cury: Você é insubstituível (2,8 milhões de livros vendidos), Nunca desista de seus sonhos (2,7 milhões de livros vendidos) e O médico da emoção
- Dale Carnegie: Como fazer amigos e influenciar pessoas (16 milhões de livros vendidos) e Como evitar preocupações e começar a viver
- Brené Brown: A coragem de ser imperfeito – Como aceitar a própria vulnerabilidade e vencer a vergonha (600 mil livros vendidos)
- T. Harv Eker: Os segredos da mente milionária (2 milhões de livros vendidos)
- Gustavo Cerbasi: Casais inteligentes enriquecem juntos (1,2 milhão de livros vendidos) e Como organizar sua vida financeira
- Greg McKeown: Essencialismo – A disciplinada busca por menos (400 mil livros vendidos) e Sem esforço – Torne mais fácil o que é mais importante
- Haemin Sunim: As coisas que você só vê quando desacelera (450 mil livros vendidos) e Amor pelas coisas imperfeitas
- Ana Claudia Quintana Arantes: A morte é um dia que vale a pena viver (400 mil livros vendidos) e Pra vida toda valer a pena viver
- Ichiro Kishimi e Fumitake Koga: A coragem de não agradar – Como se libertar da opinião dos outros (200 mil livros vendidos)
- Simon Sinek: Comece pelo porquê (200 mil livros vendidos) e O jogo infinito
- Robert B. Cialdini: As armas da persuasão (350 mil livros vendidos)
- Eckhart Tolle: O poder do agora (1,2 milhão de livros vendidos)
- Edith Eva Eger: A bailarina de Auschwitz (600 mil livros vendidos)
- Cristina Núñez Pereira e Rafael R. Valcárcel: Emocionário – Um guia lúdico para lidar com as emoções (800 mil livros vendidos)
- Nizan Guanaes e Arthur Guerra: Você aguenta ser feliz? – Como cuidar da saúde mental e física para ter qualidade de vida
- Suhas Kshirsagar: Mude seus horários, mude sua vida – Como usar o relógio biológico para perder peso, reduzir o estresse e ter mais saúde e energia

sextante.com.br